GRAMÀTICA I LEXICOGRAFIA CATALANES: SÍNTESI HISTÒRICA

ALBERT RICO I JOAN SOLÀ

GRAMÀTICA I LEXICOGRAFIA CATALANES: SÍNTESI HISTÒRICA

UNIVERSITAT DE VALÈNCIA
1995

Col·lecció Biblioteca Lingüística Catalana

Direcció: Antoni Ferrando Francés
Ángel López García

Fotocomposició i maquetació: Servei de Publicacions de la Universitat de València

ISBN: 84-370-1804-8
Dipòsit legal: V-4021-1994

Imprimeix: GUADA Litografía, S.L.
Camí Nou de Picanya, 3
46014 València

ÍNDEX

II

LEXICOGRAFIA

Presentació

Heus ací un manual que no dubtem a qualificar d'important per a la història de la lingüística catalana, entre altres raons perquè és el primer que aborda la història de les gramàtiques catalanes i, en el cas concret de la lexicografia, perquè és un complement imprescindible d'altres estudis existents en aquest camp, com ara l'excel·lent Panorama de la lexicografia catalana, *de Germà Colón i Amadeu-J. Soberanas. Una versió reduïda d'aquesta* Gramàtica i lexicografia catalanes: síntesi històrica, *d'Albert Rico i Joan Solà, havia aparegut com a article, en castellà, al* Lexicon der Romanistischen Linguistik, *volum V, 2 (1991). Ateses les característiques d'aquesta publicació científica, es feia necessari convertir el ja notable treball de Rico i de Solà en un llibre que fos fàcilment accessible als nostres lectors. Els autors han aprofitat la nostra oferta d'incorporar-lo a la col·lecció «Biblioteca Lingüística Catalana» no sols per traduir-lo al català, sinó també per ampliar i posar al dia la informació.*

En efecte, fins ara només posseíem estudis monogràfics sobre obres, èpoques o parcel·les concretes de les nostres gramàtiques, i, pel que fa a a la lexicografia, el Panorama *de Colón i de Soberanas s'havia centrat en l'anàlisi de les principals realitzacions catalanes i només arribava cronològicament al 1932, data de publicació del* Diccionari general de la llengua catalana, *de Pompeu Fabra. Amb el present manual, el lector no sols podrà completar els estudis anteriors sobre el tema, sinó que podrà trobar una detallada informació crítica sobre els diccionaris catalans de tot tipus publicats a partir del 1932. Així, hi trobarà comentats des del* Glossarium *de Bassols-Bastardas i les obres de Coromines fins a iniciatives i empreses tan importants i recents com el Termcat i el Corpus informatitzat de l'Institut d'Estudis Catalans.*

Si hem de destacar dues virtuts en aquest manual, aquestes podrien ser ben bé la claredat expositiva i la qualitat científica. La presentació tipogràfica ha contribuït a fer més manejable un text dens en noms, dades i dates, que els autors han sabut fer llegidor en tot moment. Però l'aspecte més notable és que Rico i Solà han sabut trobar el punt dolç entre l'exigència d'informar equànimement sobre la història de les nostres gramàtiques i els nostres diccionaris i la de valorar-ne críticament els resultats. Això últim hauria estat impossible si la labor de síntesi que ha suposat aquest manual no hagués estat precedida d'uns currícula que atorguen als nostres autors una posició científica i moral immillorable per a abordar-la. Si afegim a aquesta circumstància la riquesa de la informació bibliogràfica aportada, difícilment podrem deixar de veure en aquest llibre una referència obligada no sols per als historiadors de la nostra lingüística sinó també per als estudiosos de la nostra cultura.

València, novembre de 1994

Nota preliminar

Els dos estudis d'aquest llibre van aparèixer originàriament en castellà al volum V, 2 del *Lexikon der Romanistischen Linguistik* (Max Niemeyer, Tübingen 1991). Els col·laboradors de l'esmentat volum vam rebre unes normes força estrictes pel que fa a l'estil de redacció, a l'extensió màxima del treball i a la quantitat de bibliografia que podíem donar al final. Nosaltres vam respectar les normes (altres col·laboradors no ho van fer) i d'aquí ve la peculiar fesomia d'aquells escrits. Un dels trets que més poden sorprendre el lector és que es donin dins el text, i no en notes, les fitxes bibliogràfiques.

A l'hora de traduir els estudis ens ha semblat que no valia la pena d'allunyar-nos gaire d'aquell primer text, altrament hi hauríem hagut d'esmerçar un esforç desproporcionat. Però sí que hi hem retocat, afegit o suprimit aquí i allà tot allò que ens ha semblat oportú, i hem posat nombrosos titolets a la gramatografia, la part que manifestava més clarament aquells condicionants.

Com en la primera versió, respectem escrupolosament dues menes de dades: pel que fa als textos citats, els transcrivim exactament igual que apareixen als originals (amb excepció, sovint, del tipus de lletra); i pel que fa a les fitxes bibliogràfiques, donem les dades (lloc d'edició, etc.) tal com apareixen a les portades, en la mateixa llengua i amb la mateixa ortografia. Donem, en general i quan les sabem, les dates de naixença i defunció dels autors estudiats. Per comoditat, donem abreujadament la referència a dues obres de la bibliografia, la de Colon i Soberanas (1986) (= «C-S» o «Colon-Soberanas») i la de Marcet i Solà (en premsa) («M-S» o «Marcet-Solà»). Pel que fa a la bibliografia, encara, advertim que no citem treballs inèdits: per a aquests treballs el lector pot consultar

Pérez Saldanya (1993). En aquesta versió, tanmateix, hem volgut fer als investigadors actuals la justícia que no vam poder fer-los en la primera versió per culpa de la restricció d'espai a què estàvem sotmesos: a I, § 5.2, i II, § 9.4, hem procurat acollir una àmplia representació dels seus treballs. Però voldríem demanar excuses d'entrada per tots els oblits que haurem comès involuntàriament, en un terreny avui tan difícil d'acotar a causa de la seva riquesa, de la dispersió dels treballs i de les restriccions que a pesar de tot ens hem imposat.

La gramatografia és de J. Solà, i la història de la lexicografia és de tots dos autors. A. Rico ha traduït tot el text al català. En les referències internes de l'una part a l'altra d'aquest llibre, les designarem com a primera i segona part, amb les indicacions «I» i «II».

Volem fer constar el nostre profund reconeixement al Servei de Publicacions de la Universitat de València, per l'extrema perícia que han demostrat en la confecció d'aquest llibre i per l'ajut constant i pacient que ens han prestat.

Barcelona, juny de 1994

SIGLES

AOR	*Anuari de l'Oficina Romànica de Lingüística i Literatura* (Barcelona)
BRABLB	*Boletín de la Real Academia de Buenas Letras de Barcelona*
CatWPL	*Catalan Working Papers in Linguistics* (Universitat Autònoma de Barcelona: el que anomenem volum «0», en realitat es titulava *Estudis Gramaticals*, 1 / *Working Papers in Linguistics;* el que anomenem «1» es titulava *Catalan Working Papers in Linguistics 1991;* el «2» es titulava *Catalan Working Papers in Linguistics 1992;* la publicació porta numeració de sèrie a partir del vol. 3).
C-S	Colon-Soberanas (si no s'hi afegeix data, es tracta de l'obra de 1986)
DCELC	*Diccionario crítico etimológico de la lengua castellana* (v. II, § 8.5)
DCVB	*Diccionari català-valencià-balear* (v. II, § 8.4)
DECH	*Diccionario etimológico castellano e hispánico* (v. II, § 8.5)
DECat	*Diccionari etimològic i complementari de la llengua catalana* (v. II, § 8.5)
DGLC	*Diccionari general de la llengua catalana* (v. II, § 10.2)
DLC	*Diccionari de la llengua catalana* (v. II, § 10.10a)
DLC[3]	*Diccionari de la llengua catalana*, 3a edició ampliada (v. II, § 10.10b)
DMF	*Diccionari manual* atribuït a Fabra (v. II, § 10.8)
ELLC	*Estudis de Llengua i Literatura Catalanes* (Barcelona)
ER	*Estudis Romànics* (Barcelona)
EUC	*Estudis Universitaris Catalans* (Barcelona)
GEC	*Gran enciclopèdia catalana* (v. II, § 10.12)
GLC	*Gran Larousse català* (v. II, § 10.13)
IEC	Institut d'Estudis Catalans
LL	*Llengua & Literatura* (Barcelona)
M-S	Marcet-Solà
RLaR	*Revue des Langues Romanes*
RLiR	*Revue de Linguistique Romane*

I PART

GRAMÀTICA

0. PREÀMBUL

0.1 Es podria dir que en els països occidentals l'objectiu últim i únic de la gramàtica escolar és (o ha estat) l'ensenyament de l'ortografia. En llengües en què la relació entre la fonètica i la grafia és menys indirecta o arbitrària, podríem esperar que aquesta afirmació tingués menys vigència. I, tanmateix, a Espanya l'ortografia és també, des de temps immemorial, l'únic aspecte de la llengua que preocupa la immensa majoria d'usuaris i fins i tot la gran majoria de professors de llengua de nivell mitjà o superior. Una causa molt important del fenomen és la següent: l'ortografia és l'aspecte menys abstracte de la llengua, el més tangible o memoritzable; en definitiva, el més assequible en general. La llengua catalana no és cap excepció en aquest punt.

Però la llengua catalana, probablement més que les llengües socialment sanes i tranquil·les, no és només un sistema de comunicació: és també un mitjà d'identificació i diferenciació social. Així s'explica que, en general i més que en altres llengües, en català interessi poc o gens la veritat o la puresa d'un fet lingüístic i que interessi molt més el seu aspecte de possessió d'un «saber» que altres no posseeixen. En pot ser un exemple banal el següent. Quan a la vida pública castellanitzada apareix el neologisme *pegatina*, els catalanoparlants tenen diverses opcions: adoptar directament la paraula (ja que la seva morfologia i la seva fonètica no són gens estranyes al geni del català), traduir el lexema i conservar-ne la forma (així va néixer el calc *enganxina*, d'*enganxar*) o recórrer a un altre tipus (*adhesiu* compleix la funció lèxica, però li manca la connotació i fins l'especificitat semàntica del neologisme que ens ocupa). L'usuari lingüísticament sensibilitzat en té prou amb la segona opció, perquè el seu raonament no va més enllà. Una minoria rebutjarà la segona solució i exigirà la tercera. Aquest és el comportament de les masses, tant en ortografia com en sintaxi o en lèxic.

Pel que fa als professionals de l'ensenyament i als «gramàtics» (les cometes volen cridar l'atenció sobre el fet que no tot autor d'un llibre que porti l'etiqueta de «gramàtica» ha d'anomenar-se gramàtic en el sentit científic de la paraula), uns s'acosten més al sentiment que de la llengua té la majoria de la gent i d'altres intenten allunyar-se'n i trobar suports més sòlids per a les solucions lingüístiques, alhora que posar en relleu aspectes de la llengua més substancials que els problemes ortogràfics i els barbarismes superficials. En el cas de la llengua catalana, aquesta bipartició explica força bé una bona proporció de l'activitat gramatical.

0.2 La gramatografia catalana és filla directa o, si més no, deutora de la castellana i de la llatina; o potser millor: és filla de la castellana i aquesta ho és de la llatina. En el nostre cas és probable que aquest fenomen sigui també més significatiu que en altres llengües. És un dels molts aspectes que cal encara investigar. Un altre detall que s'haurà de tenir en compte és que, fins a un cert moment històric que es pot fixar en els primers treballs de Fabra (final del segle XIX), la producció gramatical del català no té intenció unitària: molts treballs tenen com a horitzó un espai dialectal més o menys extens. No podia ser d'altra manera en una llengua que ja feia segles que estava limitada, sotmesa, a l'ús parlat quotidià i que havia deixat d'actuar com a signe comunitari explícit dels distints pobles del seu domini lingüístic.

0.3 En aquest tractat no prendré en consideració, en general, els treballs sobre ortografia, fonètica o molts altres aspectes de la llengua (origen, denominació, etc.), ni els d'orientació exclusivament històrica o dialectal (si no tenen algun altre interès) o d'intenció teòrica pura, ni tampoc la bibliografia inèdita (tesis, etc.), llevat la tesi de Bonet (1991) per la seva especial significació en aquest terreny.

1. EL SEGLE XIX

Treballs anteriors a Ballot

1.1 L'any 1815 veié la llum la primera gramàtica que s'imprimí (§ 1.7), però hi ha algun treball anterior que no va tenir tanta sort. Podem mencionar el *Prontuario orthologi-graphico trilingue* (Mariano Soldevila, Barcelona, ca. 1743) de **Pere Màrtir Anglès** (1681?-1754), en el qual «se enseña a pronunciar, escribir, y letrear correctamente, en latin, castellano, y catalan: con una idia-graphia, ò arte de escribir en secreto», etc. És el primer tractat, extens a més a més, de pronunciació i ortografia (incloent-hi la puntuació). Caldria fer-ne una valoració. Pel que fa a ortografia, vegeu II, § 2.17. En canvi, podem prescindir en aquest tractat de l'obra del fogós notari valencià **Carles Ros** (1703-1773), malgrat que s'ajusta a la realitat allò que ell diu de si mateix (a *Qualidades, y blasònes de la lengua valenciana*, Joseph Estevan Dolz, Valencia 1752), que «en la Estacion presente soy el unico mantenedor del Materno Idioma»: perquè la seva obra és tan sols apologètica, ortogràfica i lexicogràfica (vegeu II, § 6.1).

La primera gramàtica pròpiament dita que coneixem és la *Grammatica Cathalána embellida ab dos orthographías...*, que escrigué el 1743 **Josep Ullastra** (1690-1762) i que ha estat editada per Montserrat Anguera (Biblograf, Barcelona 1980). Es tracta d'un treball incomplet i molt deficient: més que una gramàtica catalana caldria dir que és un intent de deixar reflectit en el català allò que l'autor sabia del llatí i del castellà. Podem constatar-ho amb un exemple. Com era habitual en les gramàtiques llatines escolars explicades en romanç, el nostre autor defineix així l'infinitiu: «L'Infinitiu es aquell que porta la particula *que* antes del Verb, com *que jo estudio, passejo*, &» (p. 54): Ullastra no defineix pas l'infinitiu català sinó, si de cas, el llatí. Des d'un punt de vista social, l'autor pretenia que la nostra llengua comptés entre les llengües cultes que tenen gramàtica, ja que, com dirà l'anònim autor de qui ens ocuparem tot seguit, el nostre és «un idiome cuio unic defécte consistex puramènt en ser incult», és a dir, en el fet de no estar codificat: ser llengua culta era equivalent a ser llengua amb gramàtica escrita i publicada. El nostre anònim és **«Un Maonês»** que l'any 1804 publicà uns senzills *Principis de la lectura menorquina* (Viuda de Fabregues, Mahò) la finalitat dels quals expressa bé el títol. Carbonell (1966) hi ha volgut veure uns criteris lingüístics (que de fet són ortogràfics) avançats per al seu temps. L'obra, atribuïda a diversos autors, se sap que és de **Joaquim Pous i Cardona** (v. Pons 1992, Massot 1985, p. 34, i Marcet-Solà).

1.2 La coincidència en l'últim punt i en molts altres entre l'obra anterior i la producció gramatical inèdita del maonès **Antoni Febrer i Cardona** (1761-1841) induïren Carbonell a creure que aquest era autor d'aquella. Al marge d'aquest aspecte, Carbonell (1972, 101) considera Febrer un dels gramàtics catalans més conspicus del segle. Les seves idees gramaticals es relacionen amb les dels francesos del s. XVIII De Wailly i Restaut. Entre els seus escrits destaquen *Princípis generáls de la llèngua menorquína* (1804) i *Princípis generáls y particulars de la llèngua menorquína* (1821) i en té d'altres de paral·lels dedicats al francès (v. Marcet-Solà). Són obres que encara s'han d'estudiar internament. Vegeu ara més informació sobre aquest autor a la revista *Randa*, 31 (1992), especialment Pons (1992) i Ginebra (1992).

Característiques d'aquest segle

1.3 Entrem ja més de ple en el segle XIX. Aquest segle es podria caracteritzar amb els trets següents:

a) No hi ha tradició gramatical: el poc que s'havia escrit havia quedat inèdit. Moltes «gramàtiques» d'aquesta època seran purs paral·lels dels manuals escolars corrents per al castellà, amb molt més espai dedicat a definicions generals inútils que a informació sobre una llengua que estava apartada de la vida pública i que per tant cada dia era menys coneguda i es trobava més fragmentada. En pot ser un exemple el *Compendi* de Pahissa (v. § 1.6).

b) En conseqüència, no se sap què és codificar una llengua; i encara pitjor, ni tan sols es té consciència d'aquesta mancança: la immensa majoria dels autors de manuals no tenen cap categoria ni preparació lingüística, ni tampoc cap horitzó capaç d'estimular-los. Són molt abundants els errors i les llacunes elementals. Vegem-ne un sol cas: diu Juli Soler (*Gramática*, p. 2; v. § 1.6) que el so que representen les lletres que no van en cursiva de les paraules *re*(t)*gira* (de *regirar*), *jardinet* i *ro*ig és el mateix: quan, de fet, en el primer cas hi ha una fricativa (o africada) sonora, en el segon una fricativa sonora i en el tercer una africada sorda.

c) No se sap quina llengua s'ha de codificar: ¿l'escrita anterior al segle XVI? (així opina Aguiló, amb matisos, i això és el que creuen sobretot la majoria de poetes), ¿l'escrita del final del XV i principis del XVI? (que serà més aviat l'opinió de Milà), ¿l'escrita dels segles XVII-XVIII? (així ho defensen Ballot, Estorch i Bofarull, per als quals aquests segles són els de màxima maduresa de la llengua), ¿o la llengua viva parlada al segle XIX? (això defensen i practiquen com poden molts escriptors, i en definitiva aquest corrent triomfarà amb Fabra).

L'últim punt serà la pedra de toc per a tothom que s'interessarà per la llengua en aquest segle. La discussió va començar a mitjan segle XIX i encara dura, avui curiosament amb trets molt semblants. Aleshores la discussió es va polaritzar entre els partidaris d'«el català que ara es parla» i els defensors del català «acadèmic» (aquest últim era, més o menys, el de Ballot i Bofarull): cap de les dues tendències no tenia un sistema nítid i unitari, i si avui és difícil de saber amb claredat en què consistia en concret cada «sistema», encara era més difícil de saber-ho en aquella època. Remeto el lector a Segarra (1985*a*, 218-259; 1985*b*) i a Solà (1991, 97-130). Il·lustraré aquest punt i els dos anteriors amb un exemple clar i important, tret de Segarra (1985*b*, 120-132). Un dels aspectes més difícils de comprendre i codificar en una llengua romànica és la morfologia verbal. En català el verb presenta una variació diacrònica i diatòpica tan important que només una bona preparació en gramàtica històrica i un coneixement de la història d'aquesta llengua i de les altres romàniques poden prestar una ajuda eficaç per dominar-lo. Simplificant, els tres models de conjugació catalans (Ia, IIa, IIIa) han sofert (a través de passos que aquí no explicaré) una sèrie d'evolucions fonètiques i analògiques que van provocar que al segle XIX es trobessin (al llarg del domini lingüístic) en convivència formes com les que veiem en el quadre següent:

MOSTRA DE FORMES VERBALS EN CONVIVÈNCIA AL SEGLE XIX
(I = indicatiu; S = subjuntiu)

	Ia	IIa	IIIa
I pres.	4 portam	perdem	dormim
	portem		
	5 portau	perdeu	dormiu
	porteu		
S pres.	1 port	perda	dorma
	porte	*perdi*	*dormi*
	porti		
	4 portem	perdam	dormam
		perdem	*dormim*
	5 porteu	perdau	dormau
		perdeu	*dormiu*
S imperf.	1 portàs	perdés	dormís
	portés		
	2 portasses	*perdesses*	*dormisses*
	portesses	*perdessis*	*dormissis*
	portessis		
Imperatiu	4 portem	perdam	dormam
		perdem	*dormim*
	5 portau	perdau	dormiu
	porteu	*perdeu*	

En aquest quadre hi ha dues o més formes per a determinades persones (formes que poden ser originàries o bé producte de l'evolució). Les formes en cursiva eren pràcticament universals i les úniques en la llengua parlada de Catalunya i/o de València. Tanmateix, els «acadèmics» en rebutjaven la majoria com a «vulgars» i, a més a més, estenien les antigues terminacions a alguns verbs i formes que no les havien tingut, contra la qual cosa sempre hi havia algú que estava disposat a esquinçar-se les vestidures. Els populistes, al seu torn, no havien de tenir inconvenient a adoptar les formes contemporànies, i en canvi tampoc no eren coherents, sens dubte a causa de la dificultat de percebre clarament i adoptar en la pràctica un determinat sistema. El quadre que he presentat sembla senzill un cop es dóna organitzat, però fins a l'arribada de Fabra ningú no fou capaç d'oferir-lo. Tinguem en compte, a més a més, que aquest quadre només il·lustra una part de la realitat: hi havia dialectes que mantenien vives certes desinències antigues (com ara *port*, 1a persona del present d'indicatiu); i altres dialectes tenien altres formes que aquí no apareixen (v., per exemple, *canti* al § 1.5).

Un altre detall verbal sobre el qual no es posaven d'acord era el pretèrit compost (*vaig venir*), que els uns consideraven també un vulgarisme indigne de la llengua escrita i els altres (per exemple, Amengual) consideraven un tret «curiós» de l'idioma (Estorch fins i tot es demanarà si la perífrasi no té relació amb l'alemanya amb *sein* i l'anglesa amb *to be*). Finalment, un altre punt molt important en què els nostres gramàtics no van aconseguir aclarir-se fou el de les combinacions dels pronoms febles entre si i amb el verb. Ballot dedicà mig llibre a aquest problema i encara el va deixar pitjor del que l'havia trobat; d'altres, després de molts refinaments, arribaren a resultats tan curiosos com inviables: Amengual escrivia *de-l'meu*, *'l-amo*; Pahissa, *Tan ls'uns com ls'altres*; etc.

Els gramàtics valencians i, en general, els escriptors valencians foren fins a cert punt més coherents en la seva adhesió al llenguatge del carrer, més atrevits, més moderns, en el sentit de prescindir de la tradició i de convencions, és a dir, d'un dels trets de cultura de la llengua (v. Segarra 1985*a*). Només que aquesta posició era massa extrema: significava una acceptació total de la profunda castellanització de la fonètica, l'ortografia, la gramàtica i el lèxic d'aquella zona del domini lingüístic i hauria conduït ben aviat a la destrucció de l'idioma.

d) Abans de referir-me a autors concrets he d'afegir-hi el que podria ser un quart tret del segle XIX: en aquest segle els gramàtics van dedicar una atenció gairebé nul·la a la sintaxi, als aspectes sintàctics peculiars del català. Fins i tot si dediquen cap línia a aquesta part de la gramàtica, ens trobem que, per exemple, en temes tan importants com el relatiu o els pronoms febles, molts autors no hi veuran (o no els interessaran) sinó aspectes gràfics o morfològics. (Vegeu també §§ 2.2 i 3.1.)

Gramàtics diversos de les Balears, el Rosselló i Catalunya

1.4 Em referiré primerament a uns gramàtics que podríem considerar més aïllats, per abordar després la línia principal, la de Ballot-Bofarull, i finalment (§ 1.10) al·ludiré a una branca lateral de la nostra activitat: la dels pedagogs que havien d'ensenyar el castellà o el francès a infants que només coneixien el català. Cronològicament, trobem primer **Joan Josep Amengual** (1796-?) (*Gramática de la lengua mallorquina*, Juan Guasp, Palma 1835; ^{2}1872 [1874], per la qual cito), que a les primeres pàgines ja ens adverteix que per fer la seva gramàtica «no se han podido consultar otras páginas que las del idioma pronunciado» (p. IX); i és d'aquesta llengua parlada que intenta donar-nos una còpia fidelíssima en tots els aspectes, amb el resultat d'un sistema ortogràfic minuciosament calculat per a tal finalitat, però impossible de ser generalitzat: ensopega sobretot amb el problema de les elisions vocàliques i de l'apòstrof (pp. 204-206, exemple vist al § 1.3), i a manca d'altres recursos apel·la contínuament a una intenció poc objectivable de buscar la claredat del missatge com a criteri màxim («pero siempre consultándose la claridad», p. 205). L'autor construí, doncs, poca cosa més que una gramàtica del seu dialecte per a ús personal. Des del punt de vista d'un investigador actual, aquesta tendència a reflectir fidelment la llengua parlada, compartida per més d'un gramàtic i lexicògraf de les Illes Balears, és certament útil perquè proporciona una informació més fidedigna de la llengua viva de l'època. El contingut de la gramàtica d'Amengual és l'habitual (generalitats, prosòdia, analogia, sintaxi i ortografia), però l'autor compara sistemàticament i explícitament els fets del mallorquí amb els del castellà, ja que la finalitat primordial és facilitar el coneixement d'aquest (desconegut) per mitjà d'aquell (conegut). Per a les nocions gramaticals generals diu que «se han seguido muchos autores» (p. IX), però mantenint sempre el criteri propi: i, efectivament, el nostre autor manifesta un domini inhabitual de la terminologia i una habilitat notable en la descripció gramatical. Vegeu ara més detalls sobre aquest autor a Corbera (1993).

1.5 Pere Puiggarí (1768-1854) fou el primer que publicà una gramàtica a la Catalunya francesa (*Grammaire catalane-française*, J.-B. Alzine, Perpignan 1852), que, tot i que anava destinada «à l'usage des français, obligés ou curieux de connaître le catalan», Jean Amade (1909) la considera la millor gramàtica publicada fins a l'època (per la qual cosa fou reeditada, 1910; cito per la primera ed.), no sense retreure-li el conegut arcaisme en la conjugació verbal i l'omissió del pretèrit perifràstic (nosaltres hi podem afegir que, en la mateixa línia, rebutja la primera persona de l'indicatiu present rossellonès, *canti*, «qui n'est pas roman, mais barbare», diu a la p. 37). L'autor tenia experiència com a gramàtic perquè havia publicat una gramàtica del castellà, i això es nota en la terminologia que fa servir, que d'altra banda difereix de la dels autors del sud del Pirineu. En el seu esforç per presentar una gramàtica comuna a tota la llengua i alhora fidel al seu dialecte, a més de recórrer a «le bon usage» i a «l'oreille» (p. 85), s'informa a partir d'escrits diversos, de Ballot i de diccionaris (inclòs el de Lacavalleria, de «cette glorieuse époque», «le grand siècle XVII^{è}», pp. 11 i 36) (diferentment d'Amengual), els quals corregeix i millora quan ho creu oportú. Estableix comparacions regularment amb el francès, però sovint addueix altres llengües (italià, portuguès, castellà i anglès) i altres dialectes del català. És, doncs, un treball conscient i de mèrit notable.

A continuació donaré compte de les altres gramàtiques rosselloneses o destinades a lectors francesos. **Albert Saisset** (1842-1894), escriptor humorista de gran èxit, fou de tendència populista extremada: limita la seva obra (*Grammaire catalane suivie d'un petit traité de versification catalane*, Ch. Latrobe, Perpignan 1894) al català «tel qu'il se parle aujourd'hui en Roussillon», «lequel n'est –comenta Amade a l'article esmentat– [...] que le catalan de Perpignan et de la plaine, c'est-à-dire le plus mauvais catalan de tout le pays»; i d'aquest català ofereix, sense ordre ni concert, totes les variants que se li acudeixen, vehiculades amb l'ortografia francesa: *achi/achin/achins/chi/chin/chins* 'així' (p. 14); *bay/ batch/báou/bári* 'vaig' (d'*anar*, p. 36).

Els *Éléments de grammaire catalane* (Impr. Catalane, Perpignan, ca. 1920) de **Lluís Pastre** (1863-1927) són una gramàtica escolar molt elemental de la llengua estàndard (que en aquell moment ja estava codificada), amb notes i observacions no sistemàtiques sobre el rossellonès. Molt diferent és l'*Abrégé de grammaire catalane* («L'Avenç», Barcelona 1902) de **Raymond Foulché-Delbosc** (1864-1929), obra molt ben feta per l'època, a l'estil –diu l'autor– dels seus dos anteriors *abrégés*, publicats a París (... *de grammaire espagnole*, 1892, ^{7}1902, i ... *de grammaire portugaise*, 1894): l'autor exposa en aquesta obra les qüestions gramaticals d'acord amb els «coneixements» i les necessitats d'un lector francès. No és, diu l'autor (full 3 del llibre) una gramàtica del rossellonès, sinó de la llengua catalana «tel qu'elle est actuellement parlée à Barcelone», feta segons les directrius modernitzadores de «L'Avenç» i de Fabra, que l'ajudà assíduament. Hi ha en aquesta part del domini lingüístic altres manuals recents, de divulgació i d'interès pedagògic. Per exemple, els d'**Emili Foxonet** (1890-1972), *Gramàtica catalana* (Institut Rossellonès d'Estudis Catalans: Catalane, Perpignan 1969), en dos volums, i **Pere Verdaguer** (v. § 4.13). **Josep Tastú** (1787-1849) es limità a traduir la gramàtica de Ballot, amb alguna aportació personal (v. Creixell 1987).

1.6 Tenen menys interès els cinc autors següents. **Pau Estorch i Siqués** (1805-1870) (*Gramática de la lengua catalana*, Herederos de la Viuda Pla, Barcelona 1857) revela poca o molta personalitat discutint alguna qüestió o insinuant-ne alguna altra (pp. 69, 76) i presenta la particularitat d'oferir-nos un extens tractat de sintaxi (pp. 142-257), amb quaranta-vuit pàgines de règims verbals, tot i que en sintaxi «seguiré las huellas que trazó Salvá», diu (p. 142; el valencià Vicent Salvà era el gramàtic de la llengua castellana de més prestigi: la seva gramàtica conegué més de quinze edicions). **Juli Soler** (1812-1879) (*Gramática de la lengua menorquina*, Juan Fábregues, Mahon 1858), segons Carbonell (1961, 203-204), revela una forta influència de Febrer i Cardona (v. § 1.2), al qual cita, i la seva obra «és la darrera gramàtica menorquina no dialectal». Tenen, en canvi, un caràcter marcadament dialectal els treballs de **Jaume Ferrer i Parpal** (1817-1897?) (*Tratado de analogía del dialecto menorquin*, Mahón 1870; etc.: v. II, § 7.22). **Ignasi Alabau i Sanromà** va escriure un fascicle (*Tratado teórico-práctico de la analogía, que guarda el idioma frances con el catalan*, Isidro Cerdá, Barcelona 1862) que no té cap interès; com tampoc no en té el *Compendi de gramática catalana* (Lluís Niubó, Barcelona 1873) de **Llorenç Pahissa i Ribas** (a part de les trenta-dues pàgines de règims verbals, que s'hauran de comparar amb els d'Estorch per veure si se'n pot treure cap conclusió): el subtítol «acomodada al llenguatgè del dia» només es tradueix en extravagàncies gràfiques.

Ballot, Petit i Bofarull

1.7 Els dos gramàtics més influents del segle XIX foren **Josep Pau Ballot i Torres** i Antoni de Bofarull i Brocà. Ballot (1747-1821) fou professor de retòrica al col·legi episcopal de Barcelona, on també organitzà l'estudi de la gramàtica castellana. Escrigué tractats per a l'ensenyament del castellà i del llatí, una *Lógica y arte de bien hablar* (Barcelona, ca. 1816) i finalment una *Gramática y apología de la llengua cathalana* (Joan Francisco Piferrer, Barcelona, sense data però entre 1813 i 1815), que conegué una segona edició (Joan Francisco Piferrer, Barcelona, sense data, ca. 1820, per la qual cito; facsímil, amb pròleg de Mila Segarra, Alta Fulla, Barcelona 1987). Aquesta gramàtica, la primera publicada del català, serà punt de referència obligat per a tots els estudiosos, els quals no s'estaran de fer-hi retrets i esmenes, i serà també estímul per al moviment de la

Renaixença. El gramàtic ensopegarà amb totes les dificultats que he apuntat: «Árduo y penós me ha estat lo haber de subjectar á reglas una llengua, que fins ara no ha tingut gramatica impresa», ens diu (p. XXVI). Les parts essencials del llibre són: introducció apologètica, analogia, sintaxi, ortografia i prosòdia. L'apologia ho és de certs tòpics coneguts, no precisament de l'*ús* efectiu de la llengua; i així la finalitat del llibre no queda del tot clara, a part de l'orgull que produïa a l'autor el fet que el català figurés entre les llengües amb gramàtica. Ballot escriu la gramàtica inspirant-se en el període en què «la llengua cathalana arribá á sa perfecció», que per ell és el segle XVII (p. 162). Per tant, es distanciarà de la llengua parlada contemporània: no admetrà l'article *el*, que era l'usual a Barcelona i en altres dialectes (el qualifica d'«error manifest», p. 2), ni, en la conjugació, el pretèrit perifràstic ni les formes modernes que hem vist al quadre del § 1.3. La seva màxima preocupació seran els problemes *ortogràfics* (no els sintàctics) relacionats amb els pronoms àtons (elisions vocàliques, combinacions, ús de l'apòstrof), als quals dedica quaranta pàgines (pp. 160-201) sota el títol «De las figuras gramaticals ortográficas»; recorre, doncs, a les tradicionals «figures», que defineix de manera tan laxa que es confonen: a «*jals* veig» («*ja los* veig») tant hi pot haver una «sinèresi» com una «síncope», i a «ell s'escapará» tant hi pot haver una «sinèresi» com una «sinalefa»; però, en definitiva, no va més enllà d'aquest joc obscur de noms i no dóna regles per saber si cal escriure, per exemple, «*que t'ha* sentit», «*que't ha* sentit», «*quet ha* sentit» o «*que te ha* sentit», i per què i quan; que, en definitiva, és el que el lector necessita i espera. (Per a més detalls, v. Segarra 1987, pròleg al facsímil.)

1.8 Joan Petit i Aguilar (1752-1829) estava redactant la seva *Gramática Catalana*, encara inèdita (ms 1128 de la Biblioteca de Catalunya), quan aparegué la de Ballot. Petit s'indignà contra ell perquè Ballot no accepta l'article *el* i pel seu sistema de «sinèresis» (Ballot escriu «*Jom* recordo»; Petit, «*Jo èm* recordo», p. 3^{v}-4^{r}). Petit escriu la gramàtica per als seus fills, «pera facilitar-vos la entrada á la Castellana, y á la Llatina» (p. 1^{v}) i la concep com un complex molt vast que ha de constar d'*Ortologia*, *Ortografia*, *Prosódia*, *Digcionari*, *Digciologia* (morfologia), *Sintagse ó Construgció*, *Poesia* i *Digcionari Poétic*. El manuscrit arriba fins a la sintaxi; el diccionari, ja no el realitzarà –segons diu– perquè durant aquest temps ha aparegut el trilingüe d'Esteve-Bellvitges-Juglà de 1803-1805 (v. II, § 7.2), que a parer seu és excel·lent. Probablement el nostre gramàtic tenia una ambició superior als seus coneixements, si hem de jutjar per certs detalls, com el seu sistema ortogràfic molt personal, basat, entre d'altres, en errors com creure que les plosives podien ser sordes o sonores en final absolut (on, segons ell, també hi havia contrast entre *f* i *v*) (p. 45ʳ, etc.) i que una grafia com *roig* «es denigrativa de la puresa i suavitat de nostre Idioma» (p. 55ᵛ; ell escriu *roj*). Jordi Ginebra ha fet per fi una edició de la gramàtica de Petit i un estudi dels coneixements gramaticals de l'època («La *Gramática catalana* (1796-1829) de Joan Petit i Aguilar: estudi i edició», Tesi doctoral, Facultat de Filosofia i Lletres de Tarragona [Universitat Rovira i Virgili], 1991). Cal esperar que aviat veurem publicat aquest excel·lent treball.

1.9 Antoni de Bofarull (1821-1892) és una de les personalitats més destacades i influents de la nostra Renaixença, incansable promotor d'activitats, poeta, dramaturg, novel·lista, historiador, periodista i gramàtic, a més de polemista. Com era normal en el seu temps, estudià gairebé tots els aspectes del català que preocupaven: el nom de la llengua, l'origen, la filiació i la unitat, la història i la gramàtica. Era el formulador i el representant més qualificat de la modalitat «acadèmica» de la llengua: l'altra, la parlada o vulgar, pel nostre personatge no existia a efectes literaris o cultes. La tesi de Bofarull era que calia recuperar el català dels segles «clàssics» XVI-XVIII, que era el que s'havia «perfeccionat» amb el Renaixement, després del període de vacil·lació medieval; i que calia aconseguir una llengua fàcil, gramatical, literària, uniforme i intel·ligible: sense les corrupcions de la llengua vulgar, sense castellanismes evitables i sense arcaismes ni «localismes» com els que, segons ell, defensava Marià Aguiló. La destinació d'aquesta llengua era la literatura en el sentit clàssic del terme (poesia, teatre i novel·la): en aquells moments difícilment es podia aspirar a res més per a una llengua no estatal. Fonamentalment, el pensament i la pràctica gramaticals del nostre autor són continuació de la línia de Ballot, a qui matisa o corregeix en alguna ocasió. És una de les persones més ben informades en els temes en què intervé, i així, per exemple, és dels pocs que coneixen i esmenten Amengual i Puiggarí (v. §§ 1.4-5). Per al nostre propòsit interessen principalment dos dels seus llibres: *Estudios, sistema gramatical y crestomatía de la lengua catalana* (El Plus Ultra, Barcelona 1864) i, en col·laboració amb Adolf Blanch, *Gramática de la lengua catalana* (Espasa Hermanos, Barcelona 1867; dues edicions més sense data). Ara hi ha una àmplia antologia de les seves aportacions (*Escrits lingüístics*, Alta Fulla, Barcelona 1987, amb pròleg de Jordi Ginebra). La part gramatical del primer treball està recollida en el segon (que és el que citaré, per la primera ed.). Hi afegiré només que, tal com es desprèn del que s'ha dit, Bofarull no accepta, en general, les formes actuals, per exemple, de l'article (*el*, p. 11) i dels verbs: aquí, en canvi, accepta el pretèrit perifràstic (reconeix que és «de uso mas general», p. 32) i corregeix Ballot (dóna *cumplim*, *cumpliu* per a l'imperatiu de *cumplir*, p. 41, on aquell donava *cumplam*, *cumplau*). Però el verb, amb els seus problemes, també confongué el nostre autor, que escriurà les paraules següents, impròpies d'un gramàtic i que seran un revulsiu per a Fabra: «En el caso de encontrarse una voz que por sujetarla á regla haya de parecer estraña ó anticuada, prefiérase siempre, –y esto basta para resolverlo el buen sentido de cada cual–, la que está en uso comunmente, aun cuando sea contra la misma regla» (p. 32; ja el 1864, p. 99). Per a més informació sobre aquest autor i la seva època, vegeu Segarra (1985*a/b*), Ginebra (1987) i Almirall (1993).

L'ensenyança del castellà i del francès

1.10 Durant el segle XIX es va anar formant al domini lingüístic català, sobretot a Catalunya, una consciència progressivament més clara que calia trobar un mètode més eficaç per ensenyar el castellà (o el francès) a les escoles, ja que amb el procediment «gramatical» l'infant no aprenia ni gramàtica (matèria massa abstracta per a ell i allunyada dels seus interessos) ni la llengua. Al llarg dels anys, i sintetitzant, el nou mètode presentava les característiques següents:

a) s'anava «de lo conocido [el català] a lo desconocido»;

b) es partia del català i s'ensenyava en català, comparant totes dues llengües;

c) es donava preferència al llenguatge, als exercicis, sobre la gramàtica.

Un dels pedagogs-gramàtics més destacats en aquest terreny fou **Salvador Genís** (1841-1919), amb el seu llibre *El auxiliar del maestro catalán en la enseñanza de la lengua castellana* (Paciano Torres, Gerona 1869), que conegué unes deu edicions fins al 1925.

Remeto el lector a Casanova (1990) i a Solà (1982) per a més detalls, però hi afegeixo uns quants noms que no consten en aquesta bibliografia i que d'alguna forma poden considerar-se integrats en aquest corrent o en aquest procés: **Joan Petit** (§ 1.8), **Joan Josep Amengual** (§ 1.4), **Josep Domènech i Circuns** (*Elementos de gramatica castellana-catalana*, Viuda é Hijos de Brusi, Barcelona 1829, llibre molt fluix i elemental), **Magí Pers i Ramona** (1803-1888) (*Gramática catalana-castellana*, A. Berdeguer, Barcelona 1847, de valor semblant a l'anterior), **Miquel Rosanes** (*Miscelánea*, v. II, § 7.14, amb uns «Apuntes para facilitar la enseñanza de la gramática en las escuelas de las poblaciones [...] en que no se habla la lengua castellana»), **J. Mattes** (*Leçons pratiques de grammaire*, J.-B. Alzine, Perpignan 1866, «dans lesquelles l'orthographe d'usage est enseignée au moyen de la langue catalane», acaba el títol), **Lorenzo Trauque** (*El libro del estudioso catalán...*, Caridad, Barcelona 1875), **Roc Chabàs** (1844-1912) («La enseñanza de la gramatica castellana en las escuelas del Reino de Valencia», *El Archivo*, 1886: 24.VI i 1/8/15/22.VII) i **Lluís Pastre** (1863-1927; v. § 1.5) (*Le français enseigné par les exercices de traduction de textes catalans aux enfants de 9 à 15 ans*, Catalane, Perpignan, ca. 1911). Per coherència teòrica, aquests mètodes havien de redactar-se en català: hi ha autors (Amengual, Domènech, Chabàs) que expliquen per què no ho fan. A part d'altres qüestions, en aquests manuals hi ha molta informació de detall sobre aspectes de la gramàtica catalana i sobre l'estat lingüístic de la llengua. En donaré un sol exemple: un autor considera un catalanisme la supressió d'*usted* en una frase com: «¿Cuánto tiempo ha que no se ha confesado [usted]?» Avui l'error es produeix precisament a l'inrevés: s'abusa del pronom en català (error sistemàtic fins i tot en una curiosa excentricitat de **Mario Cástel**, pseudònim de **Bartomeu Gabarró i Borràs**, titulada *Idioma mundial o gramática exáglota del castellano, catalán, italiano, francés, inglés y alemán...*, Tomo primero, Impr. Elzeveriana y Libr. Camí, Barcelona, ca. 1921: vegeu-ne les pp. 15, 111, 130, 145, 153, etc. L'obra havia aparegut l'any 1886, «pentáglota», sense l'alemany).

Jaume Nonell i Marià Grandia

1.11 En el tombant de segle trobem dues persones sorprenents que produeixen moltes pàgines de gramàtica sense tenir en compte per a res les adquisicions i els procediments de l'època: són **Jaume Nonell**, jesuïta, i Marià Grandia, especialista de les tres llengües nobles del Renaixement. Nonell (1844-1922) publicà quatre obres principals i una de secundària (l'última): *Análisis morfològich de la llènga catalana antiga comparada ab la modèrna* (Sant Josèph, Manrèsa 1895), *Análisis fonològich-ortográfich de la llènga catalana antiga y modèrna* (Sant Josèph, Manrèsa 1896), *Estudis gramaticals sobre la llenga catalana* (Sant Josep, Manrèsa 1898), *Gramática de la llenga catalana* (Sant Josèp, Manrèsa 1898; 2a ed.: Álvar Verdaguer, Barcelona 1906, per la qual citaré) i *Primers rudiments de gramática catalana* (Sant Josèp, Manrèsa 1903). Nonell es proposa fer una obra, no d'erudició, sinó útil per resoldre els múltiples problemes gramaticals del moment (1895, p. V): «reunir materials que facilitin la composició d'una Gramática catalana» (1898, p. 5). Aquests materials són dels segles XIII-XV en les dues primeres obres; en les altres dues se serveix també dels escriptors contemporanis. Els exemples adduïts són abundants, la feina de despullament i ordenació l'hagué d'ocupar uns quants anys; i tanmateix, Nonell desconeix *completament* l'estat i els procediments de la romanística: ni tan sols sap que les paraules romàniques deriven de l'acusatiu llatí i que les nostres llengües tenen cultismes al costat de paraules hereditàries (aquestes nocions fins i tot falten a les seves obres: tracta com si fossin iguals *regla* i *signe*, cultismes, que *faula* i *metge*, 1895, pp. 18, 25). Per tant, simplement, *inventa* el procediment, que són les tres lleis següents: llei d'*escursament*, que suprimeix totes les desinències llatines (*-a*, *-am*, *-as*, *-ant*, *-it*, *-um*, *-us*, etc.), de manera que el present d'AMO es queda en 1 *am*, 2 *am*, 3 *am*, 4 *amam*, 5 *amat*, 6 *am*; llei de *distinció*, que acut en socorriment de la confusió produïda per la primera llei, sense cap norma fixa (per exemple, tres de les formes idèntiques anteriors queden esmenades, «distingides», així: 2 *ames*, 3 *ama*, 6 *amn*, respectivament; i *fill*, resultat de FILIUS i de FILIA, adquirirà una *a* «distintiva» en el femení); llei d'*eufonia*, que converteix en pronunciables i harmòniques les seqüències resultants de les dues primeres lleis, també sense norma determinada (la forma 6 de més amunt passa d'*amn* a *amen*, i *templ* i *viatg* passen a *temple* i *viatge*). Però encara hi ha més coses: el nostre autor confon sovint els sons amb les grafies i no distingeix el català del provençal (d'un vers de Llull dedueix que CRUX va donar en català «*crotz* y *crou* ò *crèu*», 1895, p. 24). Com a conseqüència de tot això, les seves «derivacions» són d'aquesta mena: OVIC-ULA > *ovic-la* > *ovil-la* («atracció de la *c* per la *l* següent») > *ovella* (1895, p. 19), TREDEC-IM > *tredc* o *tretç* > *tretz-e* (1895, p. 87). En les dues obres de 1898 l'autor aborda la sintaxi i el procediment és menys escandalós, tot i que els resultats no són en general millors; però hi ha alguna observació subtil i alguna proposta aprofitable. Per exemple, el pronom no referencial de construccions com *veure-hi* i *sentir-hi* exerceix, diu, la funció d'intransitivitzar aquests verbs (1906, p. 192); són força acceptables les regles de col·locació de seqüències de pronoms febles (1898, pp. 33-34; 1906, pp. 166-167), i el tractat de l'accentuació (1896, pp. 52-60) és francament bo i demostra una capacitat d'anàlisi gens vulgar. Finalment, com era previsible en un home tan aficionat als segles XIII-XV, Nonell considera vulgars les formes verbals del seu temps (1903, pp. 9-42). Vegeu més detalls sobre aquest autor dins Solà (1991, pp. 153-165).

1.12 Marià Grandia (1865-1929) (*Gramática etimològica catalana*, Salesiana, Sarriá-Barcelona, 1901; *Fonètica semítich-catalana seguida d'un vocabulari d'etimologies catalá-semítiques*, Salesiana, Sarriá-Barcelona 1902 [1903]; *Gramática preceptiva catalana*, Salesiana, Sarriá-Barcelona 1905), a més de ser un defensor empedreït del paper essencial de l'hebreu en el català, fou una mena de deixeble i èmul de Nonell: adopta les tres lleis d'aquest però hi afegeix altres disbarats a mesura que augmenta i corregeix la informació del jesuïta (v., per exemple, 1901, pp. 7, 16; i per a la morfologia verbal, en la qual és menys coherent que Nonell, 1905, pp. 120ss.). Probablement, entre tantes pàgines espesses hi hauria alguna cosa útil (potser a les cinquanta que consagra a les preposicions, 1901, pp. 248-298) si el lector tingués prou resistència per seguir-lo. Fabra reaccionà contra tots dos autors i les seves lleis amb un article fulminant el 1905 (v. Solà 1991, p. 160).

1.13 Un altre religiós, el valencià **Lluís Fullana** (v. § 1.16), també recorrerà a les tres regles de Nonell i n'hi afegirà una altra de nova, la *d'estalvi de forces*, per la qual *pedícul* (resultat de PEDICULUM per la llei «d'escursament») perdrà «no solament la *vocal post-tònica (u)* sinó que així mateix la *síl·laba tònica (di)*», i en resultarà *pecl*, que per «eufonia» donarà *pell*, i aquest mot per «distinció» (perquè es confon amb *pell* 'pell') donarà *poll* (Actes del *Primer Congrés*, pp. 249-250). A tall d'inventari esmentaré l'encara més extravagant **Antoni Bulbena i Tosell** (1854-1946), que nominalment o sota els pseudònims de *Mossèn Borra* o *Antoni Tallander* publicà pamflets com *Lliçons familiars de gramàtica catalana* (La Acadèmica, Barcelona 1898).

Manuel Milà i Fontanals

1.14 Manuel Milà i Fontanals (1818-1884) és la figura més important del segle fins als anys noranta. Autor ben conegut en els terrenys de la seva especialitat més pròpia (les literatures antigues provençal i castellana), féu també aportacions de primera línia en gramàtica catalana, malgrat que no creia factible (i per tant tampoc no pretenia) que el català recuperés l'antiga categoria de llengua de cultura. En els seus estudis sobre el provençal publicà pàgines sobre la formació i la filiació de les llengües romàniques, on demostrà un coneixement exacte de la romanística de l'època i se situà per damunt de tots els seus contemporanis catalans (amb l'única excepció de Josep Balari). Prescindiré d'aquest aspecte (vegeu tan sols *De los trovadores en España*, Joaquin Verdaguer, Barcelona 1861; nova edició, Consejo Superior de Investigaciones Científicas, Barcelona 1966), com de les seves contribucions a la fonètica històrica, la dialectologia i l'ortografia catalanes (que el lector pot trobar en Solà 1991, pp. 131-148). El seu treball de caràcter pròpiament gramatical es titula *Estudios de lengua catalana* (Alvar Verdaguer, Barcelona 1875; cito per l'edició d'*Obras completas*, III, Alvaro Verdaguer, Barcelona 1890, pp. 507-544). És un treball breu (16 pàgines) però modèlic per al seu temps i «admirable encara avui», en paraules de Joan Coromines; «donde se inquiere *lo que es y lo que ha sido*, nó *lo que debiera ser*» el dialecte contemporani de Barcelona (p. 509): amb aquestes paraules, Milà s'enfronta al català amb voluntat descriptiva i se situa al marge de les precipitades actituds preceptistes o merament escolars i pràctiques que trobem fins al moment en el nostre domini lingüístic. Per primera vegada disposem d'una *descripció* científica de la llengua. El fascicle conté només fonètica i morfologia (inclosa la formació de paraules): hem de lamentar que l'autor no escrigués la segona part que hi promet, sobretot tenint en compte que la sintaxi gairebé no va ser atesa en aquell segle (Segarra 1985*b*, p. 147). No obstant això, hi trobem nombroses notícies i observacions sobre lèxic, dialectalismes, diacronia i nivells de llenguatge, i fins i tot n'hi ha alguna sobre sintaxi. (Vegeu l'excel·lent estudi de Jorba 1989, sobre les aportacions d'aquest autor.)

1.15 Josep Nebot i Pérez (1835-1914) fou el primer valencià que s'arriscà a escriure una gramàtica per als seus compatriotes: home culte i intel·ligent, la titulà amb prudència *Apuntes para una gramática valenciana popular* (Ripollés, Valencia 1894). A contracor, comença per acceptar la submissió general dels seus compatriotes a una ortografia profundament castellanitzada (que de fet es «justificava» només per al dialecte de la capital, fonèticament el més acostat al castellà) i confessa que, davant d'aquesta situació, el més pertinent seria redactar *dues* gramàtiques, una de *hieràtica* i una altra de *popular*: la segona és la que escriurà ell, alleugerint-la de nocions generals i de qüestions comunes amb el castellà (pp. 32, 49, 50) i mirant de recuperar tant com podrà la dignitat de tal varietat lingüística. Escriu, doncs, la gramàtica que resulta de la llengua que ell constata (i no sembla que sigui mal observador), hi afegeix algun comentari sobre formes arcaiques o conservades fora del País Valencià (pp. 33, 45, 60) i rebutja formes que creu poc dignes: l'ús del relatiu *cuyo* «no es más que un castellanismo», p. 48; en l'imperatiu d'*haver* 'tenir' «casi nadie dice *té* ó *tin*, sino *hias*», i «la forma *chas* nos parece impropia», p. 52; la reducció a *-á* de col·lectius i participis en *-ada* (*caragolada/caragolá*, *cremada/cremá*) li sembla impròpia «al menos en el estilo serio», p. 102. No topa amb problemes de més gruix, llevat del cas de la conjugació verbal, on cada fragment del país té les seves formes pròpies: aquí adverteix clarament que selecciona «lo que nos ha parecido más aceptable, prefiriendo siempre en lo dudoso lo regular á lo irregular, y en igualdad de circunstancias, lo de Valencia á lo de fuera y las formas de las clases ilustradas (siempre que no sean castellanismos) á las del pueblo indocto», «y pondremos tan solo las desinencias más propias y generales» (p. 49, 56). No diu, però, quins criteris defineixen allò que és «propi» i «regular». Bernhard Schädel (1905, pp. 375-377) assenyalà alguna deficiència del treball, però valorà positivament l'esforç. Sanchis (1963) es mostra molt més negatiu amb el nostre autor, potser perquè posteriorment es va radicalitzar la seva posició vulgaritzant del valencià i va defensar la independència d'aquest respecte del «català»: *Tratado de ortografía valenciana clásica* (Angel Aguilar, Valencia 1910). En aquesta obra topa amb alguna dificultat més, que el porta a escriure una frase paral·lela a la que hem vist en Bofarull (§ 1.9), autor que coneix: «haga, pues, cada cual lo que pueda según su leal saber y entender» (p. 67). Entre 1895 i 1909 l'autor polemitzà sobre el tipus de llengua amb Gaetà Huguet, Lluís Bernat, Teodor Llorente i mossèn Alcover (vegeu Ramos 1989, 1992 i Salvador 1986).

1.16 El franciscà **Lluís Fullana i Mira** (1871-1948) es dedicà molt més assíduament a l'estudi del valencià. En els seus primers treballs (fins a 1915) intentava defensar la unitat de la llengua, però finalment la força de la inèrcia i de l'ambient el va arrossegar també cap al bàndol contrari i esdevingué el «filòleg "oficial" del valencianisme provincial i anticatalanista de les forces vives» (Simbor 1992, p. 35). Ja a la seva *Gramática elemental de la llengua valenciana* (Domenech, Valencia 1915; facsímil pel Grup d'Acció Valencianista, Paterna 1978), l'obra més important de l'autor, es nota una estranya manca de referències o al·lusions a d'altres dialectes del domini lingüístic (quan observa que els demostratius *aquest -a* «no s'usen en la conversació ordinaria, sino en poesía i en llenguage remuntat», p. 79, hauria d'haver-hi afegit que són els normals si més no fora del País Valencià; etc.). L'autor pretén situar-se en un punt mitjà entre els arcaïtzants i els vulgaritzants (p. 18), i de fet els resultats obtinguts no difereixen globalment dels de Nebot llevat, potser, que Fullana explicita menys, gairebé gens, els seus criteris, ni tan sols en el delicat capítol del verb (sobre el qual, en canvi, l'autor té treballs anteriors). Aquesta obra respon als esquemes gramaticals previstos en els manuals, amb molt poca penetració en aspectes conflictius. I així, inclou els interrogatius entre els relatius («Sabs *quí* ha vingut?», p. 221), descriu el complement directe igual que en castellà (amb preposició, pp. 191, 234), amb prou feines hi ha res sobre els pronoms febles, mai no es planteja la influència del castellà (en les perífrasis d'obligació es donen com a variants *deure*, *haver de, tenir de*, *tenir que*, *haver-hi que*, p. 227), etc. En una paraula, s'hi troba a faltar un veritable estudi de la llengua, com en gairebé tots els autors del XIX. Un detall que avui s'interpretaria com a progressista és que l'autor defensa certes estructures de relatiu de la llengua parlada («Aquells hòmens *que'ls seus* fills vingueren ahir», etc., p. 223).

Estudi de l'alguerès

1.17 Esmentaré dues gramàtiques del dialecte alguerès, la de **Joan Palomba** (1876-1953), *Grammatica del dialetto algherese odierno* (G. Montorsi, Sassari 1906), i la de **Joan Pais** (1875-1964), *Gramàtica algueresa*, vol. I (Barcino, Barcelona 1970, però escrita als mateixos anys que l'altra: detalls en la introducció de Pasqual Scanu, pp. 25-35). De la segona només s'ha publicat la fonologia i part de la morfologia (el projecte d'edició sembla abandonat): és una comparació sistemàtica amb l'italià, molt fluixa tant per la manera d'exposar (sovint anecdòtica: p. 91, graus de l'adjectiu; o enrevessada: pp. 139-141, sobre *hi ha*) com pel contingut general i el bagatge teòric. La primera segueix els esquemes clàssics, dedica mitja pàgina a la sintaxi («nelle sue linee generali la sintassi algherese corrisponde alla sintassi italiana», p. 46) i acaba amb un *Lessico* («Raccolta dei nomi più usati»).

Tomàs Forteza

1.18 Mereix ocupar un lloc destacat entre aquest conjunt la *Gramática de la lengua catalana* (Escuela-Tipográfica Provincial, Palma de Mallorca 1915) de **Tomàs Forteza i Cortès** (1838-1898), que desgraciadament la mort de l'autor deixà reduïda a fonologia i morfologia (ja gairebé totalment editades en aquell moment). La incloc en aquest estudi malgrat que es tracta en gran part d'una obra escrita a la manera de les gramàtiques històriques, perquè conté informació més àmplia. Es tracta del primer estudi alhora seriós i extens del català, especialment de les modalitats baleàriques. Caldria valorar aquesta obra en el doble aspecte històric i descriptiu (mossèn Alcover, al pròleg, la situa dins el doble marc de la romanística i de la catalanística). Prescindint del primer aspecte, aquí només donaré algun detall del segon. El mètode que s'hi aplica (històric i comparatiu, diacrònic, sincrònic i diatòpic) i els materials (molt abundants) són sòlids i poden desafiar el pas del temps. La documentació (en tots els aspectes indicats) és sempre molt abundant, especialment en certs punts: per exemple, quan s'estudia el tipus d'article usat per la literatura balear (pp. 152-156), o la qüestió del pretèrit perifràstic (pp. 253-254), o dels auxiliars *haver* i *ser* (pp. 254-260), i en general en tot el tractat del verb. Tot i que la intenció de l'obra és descriptiva, l'ambient en què es produí (v. Casas i Homs 1970, pp. 58-59) li devia suggerir la conveniència de distingir qualitativament entre uns fenòmens i els altres. Així, en l'al·ludida qüestió de l'article baleàric (*es*, *sa*) i el comú (*el*, *la*) el seu «humilde parecer» és que «el filólogo y el escritor de género pueden emplear el artículo del dialecto; el literato y el poeta deben usar el de la lengua» (p. 156); Amengual (v. § 1.4) inclou *cuyo* entre els relatius catalans, però Forteza adverteix que «no lo es, sino castellano» (p. 216), en la mateixa línia de Nebot (v. § 1.15); pel que fa a les formes *canto*, *cante*, *cant* de la primera persona del present d'indicatiu, opina que «la tradición, la etimología y la índole de la lengua catalana claman á favor de la última, autorizan la segunda y rechazan la primera» (p. 264), que en aquells temps apareixia com a intrusa; i considera d'influència castellana el retrocés de l'auxiliar *ser* (p. 257; Fabra, al *Primer Congrés*, pp. 137-138, aclarirà que es tracta d'una evolució natural de la llengua). Finalment, tot i que l'autor no arribà a redactar la sintaxi, inclou moltes observacions que s'hi refereixen (per exemple, sobre l'article neutre, pp. 151 i 152).

«L'Avenç»

1.19 Per acabar el segle XIX hem de referir-nos a la revista *L'Avenç*, que durant dos anys i mig (1890-1892) va portar a terme una denominada «campanya lingüística» destinada a unificar, purificar i modernitzar la llengua. L'autor més il·lustre i compromès en la campanya era Pompeu Fabra (v. § 3). Les seves realitzacions concretes foren sobretot ortogràfiques, però també incidiren en la morfologia verbal. Resumiré breument la ideologia del grup. En primer lloc, i a diferència del que hem vist en Milà (v. § 1.14), creien fermament que el català encara podia tornar a ser llengua de cultura i alhora «la veu de la nacionalitat catalana» (1892, p. 60). En segon lloc, aquesta llengua de cultura havia d'acostar-se tant com fos possible a la llengua viva parlada (prenien així posició contra els «acadèmics», de què hem parlat abans, § 1.3*c*), encara que l'una i l'altra havien de ser alliberades urgentment de la profunda influència que la llengua castellana havia exercit sobre la nostra. I en tercer lloc, la modalitat que havia de servir de base per a la modernització era el dialecte nord-oriental (en el qual s'inclou Barcelona), el «més fort, més característic, més oposat al castellà» (1892, p. 31) i el més important demogràficament i econòmicament (1891, p. 158).

2. EL PRIMER CONGRÉS INTERNACIONAL DE LA LLENGUA CATALANA (1906)

2.1 Aquest congrés fou promogut pel canonge mallorquí mossèn **Antoni M. Alcover** (1862-1932), anomenat l'apòstol de la llengua catalana, amb l'assessorament de **Bernhard Schädel**, i tenia una finalitat social (sacsejar les consciències adormides) i una altra de científica remota (provocar estudis sobre la llengua), alhora que una de científica immediata. I, en efecte, representa un canvi substancial en tots dos aspectes social i científic i obre una nova època en la història lingüística del català. A més dels lingüistes catalans més o menys entesos i d'una munió d'aficionats o simples patriotes, hi acudiren una respectable quantitat de romanistes estrangers, com ara Morel-Fatio, Nyrop, Holle, Vogel, Menéndez Pidal, Bonilla, etc. Els treballs es van agrupar en tres seccions: una de Literària, una de Social i Jurídica i una de Filològico-Històrica. En aquesta darrera es van tractar una notable quantitat de qüestions fonètiques, prosòdiques, ortogràfiques, dialectals, etimològiques, històriques, pedagògiques, etc., i sintàctiques (ús de l'adjectiu-pronom *llur*, dels pronoms *hi*, *en*, *ho* i d'alguns relatius, de la partícula *doncs* i de la preposició *a* en el complement directe, utilització dels auxiliars *haver* i *ser*, concordança del participi passat, etc.).

2.2 Originàriament, mossèn Alcover volia que el congrés tractés únicament sobre sintaxi, la part menys coneguda de la llengua, com ja hem dit, i ell mateix dedicà a aquest aspecte una comunicació de cinquanta pàgines titulada «La llengua catalana té sintacsis pròpia» (pp. 350-399 de *Primer Congrés*). En aquesta comunicació Alcover estudia diversos detalls sobre articles, adjectius, pronoms, verbs, adverbis, preposicions i interjeccions, però insisteix sobretot en l'ús dels auxiliars, en la concordança del participi, en l'ús de la preposició en el complement directe i en l'ordre relatiu dels pronoms àtons, amb molta documentació però amb poca visió de l'evolució de la llengua i del conjunt dels seus dialectes. Ja anteriorment l'autor havia estudiat aquests i altres punts, amb la mateixa visió i la mateixa voluntat conservadora d'aspectes considerats diferencials, en un llarg i polèmic treball contra Menéndez Pidal, titulat «Questions de llengua y literatura catalana» i publicat al seu *Bolletí del Diccionari de la Llengua Catalana* (vol. 1, 1901-1903, pp. 209-560). Abans d'aquesta època, l'estudi de problemes específics de sintaxi catalana (a part del que hem vist més amunt de règims verbals), es redueix a uns breus assajos sobre els pronoms *llur*, *hi*, i *li* i sobre l'article, obra d'Ignasi Ferrer (1872, 1873), Salvador Genís (1873) i Tomàs Forteza (1897; v. § 1.18).

3. POMPEU FABRA (1868-1948)

Estat del català en temps de Fabra

3.1 Allunyada de l'escola i dels usos cultes durant segles, amb prou feines recuperada recentment i tímidament per a la poesia, la novel·la, el teatre i el periodisme, al final del segle XIX la llengua catalana es trobava profundament castellanitzada en el lèxic i la sintaxi, i això es pot dir de la llengua parlada espontània i potser encara més de les distintes modalitats escrites: en aquestes el perill d'una identificació total amb el castellà era imminent i el resultat té un nom eloqüent: *patuès*. L'home cultivat no usava el català fora dels àmbits esmentats i estava convençut que això era el normal: fins la relació epistolar entre escriptors catalans es feia en castellà generalment (l'autor de què ara ens ocuparem «descobrí» un dia aquest absurd quan acabava d'escriure l'encapçalament d'una carta familiar *a mis queridos sobrinos*).

Els homes que d'alguna manera exercien de lingüistes, de gramàtics i de lexicògrafs, ja hem anat veient amb quina dificultat trobaven cap camí clar. Si es recorden les frases paradoxals de Bofarull (v. § 1.9) i de Nebot (v. § 1.15) enfront de problemes espinosos i el tipus de lleis i de criteris que posaven en joc altres autors (v. §§ 1.11-13), no estranyaran aquestes paraules de Jordi Rubió, referides més aviat al lèxic però aplicables a tota la llengua: «Mai [...] se'ns acudia de consultar cap diccionari català. Els que teníem eren antics i no ens els acabàvem de creure», «ens havíem de guiar per l'instint i per allò que se'ns enganxava dels llibres que llegíem» (*Serra d'Or*, abril 1968, pp. 38-39). En ortografia regnava l'anarquia; en morfologia hi havia dues escoles (la que menyspreava les formes vives i la que les defensava) no exemptes de dubtes i contradiccions; amb el lèxic tothom s'hi veia amb cor, però partint de prejudicis greus com el de considerar castellanismes els cultismes; i la sintaxi era la gran desconeguda: en una acalorada discussió d'una minúcia ortogràfica podia aparèixer una construcció profundament castellanitzada que no advertia ningú (els escrits d'un home que escrivia amb tanta gràcia i en una llengua tan popular, i que es preocupava tant de la sintaxi, com mossèn Alcover són farcits de solecismes com «*de* + *que* conjunció», *per lo tant* o les perífrasis d'obligació *haver-hi que*, *tenir que*). Pompeu Fabra fou ben aviat conscient de la situació i començà a posar-hi remei proveït d'un instint lingüístic gens corrent i d'un coneixement precís i posat al dia dels principis de la romanística i de la història de les distintes llengües romàniques.

Bibliografia sobre l'autor

3.2 Entre les biografies més útils del nostre lingüista, podem esmentar la de Josep Miracle, *Pompeu Fabra* (Aymà, Barcelona 1968), i la de Mila Segarra, *Pompeu Fabra* (Empúries, Barcelona 1991). Sobre la seva obra hi ha nombroses notes escampades per revistes (especialment *Serra d'Or*, desembre de 1963 i abril de 1968) i homenatges, i recentment s'han escrit estudis més sistemàtics, com els següents: Lamuela-Murgades (1984), Segarra (1985*a/b*), Solà (1987, i *Pompeu Fabra, Sanchis Guarner i altres escrits*, Eliseu Climent, València 1984), Colon-Soberanas (1986) i Bonet (1991). Vegeu també J. Coromines, *Lleures* (v. § 5.2); G. Ferrater, *Sobre el llenguatge* (v. § 5.2); A. M. Badia, *Llengua i cultura als Països Catalans* (Edicions 62, Barcelona 1964). A continuació utilitzaré aquests estudis, sense abusar de les referències. L'obra de Marcet-Solà inclou la primera bibliografia completa de l'autor.

Les seves obres principals

3.3 Aquí ens interessen principalment les següents (publicades totes a Barcelona i, si no s'indica altrament, per L'Avenç): *Ensayo de gramática de catalán moderno* (1891), la seva primera obra gramatical, que sorprengué pel mètode i la claredat; *Contribució a la gramàtica de la llengua catalana* (1898) (ara totes dues en facsímil a Alta Fulla, Barcelona 1993, amb pròleg de Sebastià Bonet); «Sobre diferents problemes pendents en l'actual català literari» (*Anuari* de l'Institut d'Estudis Catalans, vol. 1, 1907, pp. 352-369), nòmina d'aquests problemes amb comentaris;

Qüestions de gramatica catalana (1911), sèrie d'articles la majoria dels quals són de sintaxi; *Gramática de la lengua catalana* (1912; facsímil: Aqua, 1982), manual per a romanistes acuradament elaborat, seguit d'una antologia i un vocabulari amb indicacions fonètiques, la primera gramàtica major de l'autor; «Els mots àtons en el parlar de Barcelona» (*Butlletí de Dialectologia Catalana,* 1, 1914, pp. 7-17; 2, 1914, pp. 1-6); *Diccionari ortogràfic* (Institut d'Estudis Catalans, 1917; altres eds.: 1923, 1931, 1937), amb un pròleg i una «Exposició de l'Ortografia Catalana» magistrals; *Gramàtica catalana* (Institut d'Estudis Catalans, 1918; altres eds.: 1919, 1922, 1926, 1930, 1931, 1933; Aqua, 1981), considerada la gramàtica oficial de l'Institut i la segona de les seves gramàtiques majors; *Les principals faltes de gramàtica (manera d'evitar-les)* (Barcino, 1925; etc.), manual escolar útil i significatiu; *El català literari* (Barcino, 1932), important col·lecció d'articles teòrics; *Converses filològiques* (Barcino, 10 volumets, 1954-1956, a cura de Santiago Pey, edició manipulada; edició crítica en curs: Edhasa, 1983, 1984, a cura de Joaquim Rafel), uns 840 articles publicats a la premsa des de 1919 fins a 1928, que constitueixen un dels documents més importants de tota la lingüística catalana i fins de la lingüística universal: de to divulgatiu i pedagògicament modèlic, no exclouen síntesis, crítiques i troballes magistrals; *Gramàtica catalana* (Teide 1956; nombroses eds.), la tercera gramàtica major, més lliure de condicionaments escolars i normatius (per la qual cosa algú s'hi ha manifestat reticent, amb visió estreta: vegeu la nota de l'Institut a la p. 66 de la gramàtica i aquesta altra de Badia 1976, p. 67: «en mostrar-se molt indulgent amb les tendències del llenguatge parlat, no deixa d'ésser un xic perillosa»); *La llengua catalana i la seva normalització* (Edicions 62, 1980), nova antologia del seu pensament, que inclou treballs aplicats; *Diccionari general de la llengua catalana* (Catalònia, 1932; etc.).

Bonet (1991) fa un estudi meticulós de les gramàtiques principals de Fabra (1912, 1918, 1956), en tres aspectes: els fonaments teòrics en què l'autor es basa, els detalls concrets de la codificació i l'actitud davant la llengua. L'anàlisi minuciosa de Bonet, alhora que fonamenta explícitament l'alta consideració que en general ja es tenia de l'obra de Fabra i augmenta espectacularment la llista de motius que avalen aquesta consideració, no deixa de revelar ara i adés alguna limitació en el nostre autor. Dins la llista d'aspectes positius (totalment nous o renovats per Bonet), podríem esmentar, amb referència a l'obra de 1956, la coneguda doctrina del tipus «IV» de proposició (*Han arribat dos trens*) i l'estratègia de relacionar diversos fenòmens amb la pronominalització. Entre les limitacions, esmentaré, també referida a 1956, la poc reeixida exposició de les seqüències verbals (verbs seguits d'infinitiu, gerundi o participi). L'estudi de Bonet té encara un altre valor tan o més important que l'anàlisi de l'obra fabriana: relaciona aquesta obra amb la de tots els altres manuals gramaticals del segle XX per il·luminar, referits a tot el segle, aquells mateixos tres aspectes esmentats (fonaments teòrics, actitud davant la llengua i aportacions concretes a la codificació).

Ideologia i objectius

3.4 Des del primer moment de la seva llarga labor de gramàtic, Fabra va tenir clars i va explicitar generosament els principis i els objectius que el guiaven, els quals es podrien resumir en els següents punts.

a) En contrast amb l'estretor d'aspiracions dels seus primers contemporanis, Fabra reivindicà per al català i es proposà tornar-li les seves funcions de *llengua de cultura* moderna sense límits i de *llengua nacional* dels pobles que la parlaven (vegeu-ne detalls a Lamuela-Murgades 1984, pp. 33-34, 101.51-52; i Solà 1987, §§ 3.2-3).

b) La llengua que pretenia obtenir amb la reforma era una llengua *referencial*, és a dir «la varietat codificada d'una llengua, que serveix de base als llenguatges especialitzats i de model de prestigi a totes les altres varietats» (Lamuela-Murgades 1984, p. 12, els autors que han introduït el terme *referencial*: Fabra parlava de llengua *literària* i avui és corrent el terme *estàndard*).

c) La llengua referencial havia de ser, per definició, *supradialectal*. El sistema ortogràfic aconseguia hàbilment satisfer la majoria de dialectes; l'exemple més citat és el dels plurals femenins en *-es* i el de les formes verbals en *-es* i *-en*, en lloc de les formes en *-as* i *-an* propugnades pels «acadèmics» del segle XIX: aquelles, a part de ser les antigues, responen a la pronunciació real dels dialectes que no confonen la *a* i la *e* àtones, i són indiferents per als que les confonen; altres exemples són els sistemes de sibilants i palatals i el manteniment i la regulació de *b* i *v* d'acord amb els dialectes que les distingeixen i en contra del criteri etimològic (que sovint no era altra cosa que la imitació del castellà, com en *cavall*, escrit «caball»). En morfologia Fabra admetia certa opcionalitat en alguns casos nominals i sobretot en la conjugació verbal (establí com a estàndards les formes barcelonines actuals, però consignà al mateix temps les clàssiques, que hem vist més amunt, §1.3*c*, conservades per alguns dialectes: Segarra 1985*b*, p. 95). En lèxic l'equilibri fou també bàsicament satisfactori. D'aquesta manera pretenia i aconseguia evitar que progressés la tendència disgregadora dels diversos dialectes, producte de segles de desvinculació política i d'abandó de la llengua. El nucli bàsic de la llengua reformada el constituïa, però, el dialecte nord-oriental o central, el més important des del punt de vista demogràfic, econòmic i cultural, com hem dit més amunt.

d) Un altre dels principis del reformador era que la llengua referencial havia de ser *continuadora de la llengua parlada*, principi irrenunciable en una llengua encara viva i amb plena vitalitat si es pretenia que fos vehicle de la comunitat i no tan sols dels erudits o els poetes. (Més detalls a Solà 1987, §§ 3.6-9.)

e) Fabra aspirava també a formar una llengua escrita *lògica* i *clara*, o sigui, fidel transmissora de les subtileses del pensament, no únicament de l'activitat diària. Responen a aquest ideal, per exemple, d'una banda certes observacions sobre les estructures comparatives, el sistema gràfic d'adjunció de pronoms febles al verb (el confús, sintàcticament i fonèticament, *facinsho* es convertí en els transparents *facin-s'ho* [fásinsu] i *faci'ns-ho* [fásinzu]) i, en lèxic, certes oposicions entre paraules de la mateixa procedència però de distinta forma (com *orgue-òrgan*, *full-fulla*, *llançar-llençar*), aspectes que es poden considerar positius; i d'una altra banda, el sistema llatinitzant (com en altres llengües, però) del relatiu, el complicat sistema d'accents i dièresis i l'encara més complex dels pronoms àtons (que és un híbrid de diversos dialectes i de formes «lògiques»), aspectes clarament discutibles (Segarra 1985*b*, pp. 183-185; Solà 1987, §§ 3.12-13).

f) Del primer principi de més amunt fàcilment es dedueix el d'*autonomia* del català respecte dels idiomes circumveïns seus, principi poc clar per a molts gramàtics que es limitaven a produir paral·lels catalans dels manuals castellans corrents, cosa que els feia incórrer en múltiples inexactituds i monstruositats. Fabra s'esforçà a descobrir i fins potenciar els aspectes més peculiars i característics del català enfront, sobretot, del castellà, la gran llengua dominant d'aleshores i d'avui, de la qual arribarà a afirmar que el català «per certs trets fonètics i morfològics importantíssims, difereix més que cap altra llengua romànica» (*conversa* 141, ed.

Rafel). Hi ha qui ha volgut veure en aquest punt un exacerbat anticastellanisme impropi d'un científic. Fabra, com Trubetzkoj, sabia que la ciència pura no és eficaç si no va acompanyada d'una visió politiconacional, i menys en lingüística: «Que, a l'hora d'establir el sistema paradigmàtic per a la conformació de la llengua literària d'un idioma que es troba sotmès a una violenta pressió per part d'un altre, hom s'escarrassi a potenciar-ne els elements més peculiars i característics, és un fet d'allò més lògic, consubstancial amb aquest procés de conformació, que només pot ser motiu d'escàndol per a l'imperialisme politico-lingüístic més groller», diuen Lamuela-Murgades (1984, p. 96; v. p. 97; per a l'actitud política de Fabra, pp. 153, 157). Podem il·lustrar aquesta posició de Fabra amb un cas discutible de prosòdia: en català no són diftong certes seqüències de consonant + vocal feble + vocal (*a-vi-at*, *pro-du-ir*) i hi ha algun indici que tampoc no ho eren antigament en cultismes com *grà-ci-a*, *ad-mi-ra-ci-ó*, en què avui i potser des de fa segles sí que ho són en llengua parlada. Fabra va igualar el segon cas al primer. Al costat d'aquest hi ha una munió de casos indiscutibles, com la caiguda de certes preposicions davant de les subordinades amb *que* (fenomen, tanmateix, que sembla haver reculat definitivament de la llengua parlada, bé que més recentment).

g) L'autonomia, però, no privava el català de pertànyer a la mateixa família de les romàniques i al mateix àmbit cultural de les occidentals. Un altre principi que guiava Fabra era que el català *no discrepés* innecessàriament en els esmentats àmbit i família. La comparació entre llengües li permeté precisament de modernitzar el català en molts detalls ortogràfics. Adduint la comunitat gràfica entre llatí, castellà, italià, francès i anglès en cultismes com ACIDUS-*ácido-acido-acide-acid* (respecte a la *d*) o HEROICUS-*heroico-eroico-héroïque-heroic* (respecte a la *i*), tenia l'autoritat científica i moral que no havia tingut ningú fins aleshores per modernitzar en *àcid* i *heroic* antigues grafies com *àcit* i *heroych* (*Diccionari ortogràfic*, 1917, pp. 7-8). Tal com hem dit, el nostre autor posseïa un bon coneixement, actiu i tot, de moltes llengües (Solà 1987, § 3.16).

h) La *intervenció del gramàtic* en la llengua fou un dret i una necessitat que Fabra veié clarament, inscrivint-se així en el concepte de «cultura de la llengua literària» desenvolupat pels autors del Cercle Lingüístic de Praga, «els quals entenien sota aquesta denominació el treball deliberat i conscient emprès a partir de les pràctiques escriptòria i docent, però sobretot lingüística, per tal de completar i desenvolupar una llengua literària que en cap cas no era vista com a realitat ja donada i preexistent, sinó com a objectiu a atènyer» (Lamuela-Murgades 1984, p. 35; v. pp. 35-37, 101-105, 109).

i) En aquesta tasca d'estudi, elaboració, selecció i fixació de la llengua referencial, Fabra invitava constantment a col·laborar els escriptors, que eren els primers interessats en el procés, i consta que la col·laboració va donar fruits notables i abundants.

Procediments

3.5 La magnitud de l'empresa, la multiforme problemàtica del català d'aquesta època exigia el bagatge científic que detalla el mateix Fabra.

a) «Solament l'estudi científic de l'evolució dels sons i formes llatines en català, la coneixença perfecta de la morfologia antiga, la comparació minuciosa de les regles sintàctiques de les diferents llengües llatines, poden guiar-nos d'una manera segura en la tasca de fixació de la nostra prosòdia, de la nostra ortografia, de la nostra morfologia i de la nostra sintaxi, pertorbades totes, així com el vocabulari, per la doble acció perniciosa d'un llarg període de decaïment literari i d'una forta influència castellana» (de Lamuela-Murgades 1984, p. 182, amb ortografia modernitzada).

b) Amb aquesta preparació, el gramàtic havia d'«examinar un per un tots els mots, les significacions de cada mot, totes les construccions i frases fetes de la llengua actual, a fi de descobrir-ne tots els castellanismes i incorreccions; estudiar pregonament la llengua antiga i els parlars moderns, que ens havien de fornir els mitjans de remeiar-los; i mirar de relligar la llengua actual amb la llengua antiga, no oblidant mai, però, que»: «no tractàvem de ressuscitar una llengua medieval, sinó de formar la llengua moderna que fóra sortida de la nostra llengua antiga sense els llargs segles de decadència literària i de supeditació a una llengua forastera» (*El català literari*, pp. 88, 75). Aquesta és la feina que realitzarà efectivament i que tenim explicitada sobretot a les seves tres gramàtiques majors, a les *Converses* i al *Diccionari general de la llengua catalana*.

c) Els criteris són en síntesi els següents: 1. consulta constant a la *llengua antiga* (que havia arribat a un alt grau de maduresa, flexibilitat i uniformitat i respecte a la qual la moderna estava més pròxima del que succeïa en la majoria de les llengües romàniques), consulta que requeria, però, molt de seny i molta prudència; 2. atenció constant als diferents *parlars vius*, que sovint ens brindaven solucions espontànies a problemes que semblaven ardus, però sense caure en la fàcil temptació de defensar el bigarrament i el xiroisme; 3. estudi dels procediments genuïns de *creació de paraules* (derivació i composició); 4. recurs al *manlleu del llatí* clàssic; 5. coneixement exacte de la història de *les altres llengües germanes*. Amb aquests coneixements i criteris era possible dictaminar, per exemple, que la presència de la preposició *de* en una frase com *Estic segur de que vindran* era deguda a influència castellana, perquè, tot i haver-se pogut produir espontàniament en català, de fet la llengua antiga diu *Estic segur que vindran*, com altres llengües romàniques actuals, mentre que el castellà construeix amb *de* des de fa segles (*conversa* 288, ed. Pey).

d) A pesar de tot, la feina del gramàtic topa sovint amb factors que no li permeten acceptar o condemnar netament tal o tal altre fenomen, com voldrien molts usuaris. En aquest punt s'ha observat que el llenguatge de Fabra és extremament prudent i variat i que poques vegades condemna o defensa sense matisos. La seva gramàtica pòstuma (1956) és un paradigma del que diem: les expressions habituals són del tipus següent: «pot emprar-se», «són potser tolerables», «tendeix a reemplaçar-se», «certs parlars catalans reemplacen», «en llenguatge més o menys emotiu», «trobem alguna vegada usat», «normalment» (terme de significat més aviat vague, a vegades pròxim a «es tendeix»), «es pot suprimir», «se'n prescindeix correntment», «no és recomanable», «en lloc de tal cosa s'usa sovint tal altra», etc. Aquesta actitud lloable en un home de ciència produeix, en canvi, malestar i fins crispació entre les persones directament compromeses amb les edicions, l'assessorament, la docència o el dictamen normatiu, i origina polèmiques sense final previsible (v. §§ 3.3, 4.7, 4.19). Com és fàcil de veure, aquí hi ha una qüestió crucial: per a molta gent és intolerable que en tal o tal punt de la gramàtica hi hagi més d'una forma lícita.

Realitzacions i resultats

3.6 L'obra de Fabra com a gramàtic i lexicògraf comprèn tres àmbits, que deixà perfectament codificats: l'ortografia (sancionada oficialment el 1913 amb les *Normes ortogràfiques* de l'Institut d'Estudis Catalans, elaborades en gran part per Fabra, però que de fet es van completar amb el *Diccionari ortogràfic* de 1917 del nostre autor), la gramàtica (es considera oficial la de 1918) i el diccionari (es considera oficial l'esmentat de 1932). Prescindint del lèxic i de l'ortografia, els aspectes gramaticals més notables de les seves obres són: la descripció sistemàtica de la pronunciació de la llengua (principalment a les obres de 1891, 1912 i 1914), la regulació de la conjugació verbal (1898, *Converses*, etc.: un dels àmbits en què la seva activitat «resultà autènticament revolucionària, vertaderament moderna», Segarra 1985*b*, p. 91), l'estructuració de les combinacions pronominals, l'estudi de la derivació i la composició nominals, la fixació de les estructures de relatiu, la regulació de les estructures comparatives i de les negatives i certs aspectes de les preposicions (com l'esmentat de la caiguda).

Recentment és possible entreveure que falten estudiar encara molts detalls en gramàtica catalana; dit d'una altra manera: que Fabra va deixar pendents qui-sap-los detalls. N'enumeraré uns quants breument (v. *Actes* Barcelona 1983; Segarra 1985*b*; Solà 1987, pp. 78-98). Estan poc o gens atesos a l'obra de Fabra problemes com: la concordança en general, la passivització, l'ús dels copulatius *ser* i *estar* i del gerundi, l'ordre de paraules (problema especialment ardu en català); i la informació és generalment gairebé nul·la en els terrenys de les preposicions, conjuncions i adverbis (amb les excepcions que ja hem comentat).

4. DIVULGACIÓ, ENCARCARAMENT I INNOVACIÓ EN LA DOCTRINA DE FABRA

Generalitats

4.1 En aquest capítol passarem revista principalment a tres tipus de treballs: d'una banda, els que han servit per transmetre i divulgar el cos de doctrina que anomenem «normativa»; en segon lloc, els que han mantingut una posició menys centralista en aquesta transmissió; en tercer lloc, treballs que han completat aquella doctrina o que no han tingut una raó de ser tan estrictament lligada a transmetre-la. En algun cas aquesta divisió és útil per explicar actituds i resultats; però, com s'esdevé en tota classificació, molts treballs no hi encaixen prou bé. Amb el que es dirà de cada autor en particular, confio que el lector s'orientarà de manera suficient.

Algun dia caldrà estudiar com s'ha format i per quines vicissituds ha passat el concepte de «normativa» i què entenem avui amb aquest concepte. Sens dubte hi ajudaran decisivament una sèrie de manuals i d'articles de premsa que constitueixen el bloc que hem anomenat transmissor i divulgador de la doctrina de Fabra. Una bona part d'aquest material ha servit per consolidar l'opinió pública que avui es té de la llengua; però, a més a més, ha arribat a *crear,* sempre a l'empara del nom de Fabra, un tipus de llengua que aquest gramàtic segurament no subscriuria del tot, ni per la ideologia en què recolza ni per nombrosos detalls concrets. Aquest esbiaixament sofert per la llengua s'explica bé per diverses causes, principalment la brutal repressió que aquesta sofrí durant el franquisme, que l'obligà a replegar-se i defensar-se, i la manca d'estudi en què es veié sumida per la mateixa raó durant molts anys. Prescindint de causes, les característiques de la major part d'aquest material són les següents:

a) en general, no són gramàtiques completes de la llengua, sinó que se centren (principalment) en aspectes que el lector adult ha de «corregir» dels seus hàbits;

b) manifesten una clara inclinació a favor de l'opció més literària o més allunyada del castellà, fins a crear la sensació que no hi ha terme mitjà entre el simplement correcte i el condemnat;

c) per aquest camí, arriben a interpretar amb rigor excessiu i fins i tot erròniament el que pretenen que és doctrina de Fabra. Aquest aspecte fou estudiat en detall per Solà (1977, pp. 91-197), obra a la qual remeto el lector globalment: les citacions dels paràgrafs següents en procedeixen sempre si no es diu altra cosa.

Emili Vallès, Jeroni Marvà i Albert Jané

4.2 Emili Vallès (1878-1950) és un dels personatges clau del període. Aquí ens interessen sobretot les seves obres *Lliçons de gramàtica catalana* (Baixarías, Barcelona 1915; Sintes, Barcelona [2]1931), *Diccionari de barbarismes del català modern* (Central Catalana de Publicacions, Barcelona 1930) i *La llengua i la gramàtica* (articles, 1931-1932). Per aquestes i altres obres (repetidament editat el seu *Pal·las. Diccionari català-castellà-francès*, Pal·las, Barcelona 1927, v. II, § 10.4; després amb l'anglès, il·lustracions i etimologies) i per la seva col·laboració posterior amb Martorell influí àmpliament en moltes generacions. La seva obra gramatical està ben informada, és correcta i compleix bé la seva funció al principi. D'altra banda, l'autor posseeix un gran domini de la llengua i l'usa amb molta elegància. Però en l'època dels articles la seva posició és més rígida; per ell Fabra, més que no pas la llengua mateixa, era l'última paraula i l'objectiu absolut. La seva definició de la tasca del gramàtic (és a dir, del divulgador gramatical) seria signada de bon grat per gairebé tots els autors d'aquesta secció:

> El gramàtic, conservador per naturalesa, com que defensa un orde establert dins el qual viu la llengua i s'espandeix, combat necessàriament per l'orde tant com vigila i preveu la contaminació indesitjada, i encara apilona elements de defensa perquè amb la ventada incontrolada i lliure no vingui l'enrunament i l'esbaldrec. (D'un article de *La llengua i la gramàtica.*)

La seva posició d'aquesta època, també compartida per la majoria i, doncs, exemplar, quedarà ben il·lustrada amb dos exemples. El participi de *ser* és *estat* (clàssic i avui minoritari en llengua oral) i *sigut* (avui majoritari en llengua parlada). Diu Vallès:

> agafem el Diccionari Fabra [...], i diu així: *estat* (menys bo: *sigut*). Penso que [...] no sols és menys bo el *sigut*, sinó que és molt més bo i summament recomanable l'*estat*. Car per resoldre el problema de l'ésser o el no ésser de la nostra llengua cal triar sempre el millor. (D'un altre article.)

La forma perifràstica del pretèrit, típica del català i que presenta variants («*vas/vares menjar*»), paradoxalment ha estat sempre mirada amb reticència (sense cap argument: alguna vegada es dóna el de monotonia): el nostre autor recomana estar-hi «a l'aguait» o rebutjar-la, quan Fabra es va limitar a donar-la com a equivalent de la forma simple (que molts parlars vius desconeixen). En resum, i per dir-ho d'una vegada per totes, en aquest període es creà la consciència d'una llengua única, monolítica, sense distinció de nivells o registres o varietats geogràfiques, la literària, en la qual un fenomen era, sense matisos, correcte o incorrecte. (Vegeu ara més informació sobre aquest autor en Bonet 1991.)

4.3 **Artur Martorell** (1894-1967) s'associà a Emili Vallès per redactar, sota el pseudònim comú de ***Jeroni Marvà***, el que fou el manual més difós del seu temps (i que continua encara al mercat): *Curs pràctic de gramàtica catalana* (Barcino, Barcelona 1932; *grau superior*, 1934 i altres eds.), amb els *Exercicis* (1927-1930; diverses eds.) corresponents. Manuals pedagògicament ben resolts per l'època (destinats bàsicament a classes d'adults) i revisats per Fabra.

4.4 Va agafar el relleu del manual de Marvà, tot i que sense desbancar-lo, un altre del mateix esperit i contingut, però més reduït, més d'urgència i més a l'abast de persones adultes poc versades en abstraccions gramaticals: *Signe. Normes pràctiques de gramàtica catalana* (Vídua de Daniel Cochs, Barcelona 1962; diverses eds.), d'**Albert Jané**. (Vegeu ara l'estudi extens que Bonet 1991 dedica a aquesta obra i a la de Marvà.) Més que el manual acabat d'esmentar, o bé algun altre de posterior (com la *Gramàtica catalana,* Salvat, Barcelona 1968), interessen de Jané els innombrables articles publicats a la premsa i recollits parcialment en

Aclariments lingüístics (Barcino, Barcelona 1973; 3 vols.: el primer, dedicat a aspectes generals, ortografia i morfologia; el segon, a sintaxi, i el tercer, a lèxic) i *El llenguatge* (Edhasa, Barcelona 1977-1980, 4 vols.). Amb aquests articles, l'autor no pretenia gran cosa més que recordar la doctrina de Fabra, fins en detalls absolutament primaris, als sempre nombrosos lectors d'aquestes seccions de premsa que no havien estudiat la llengua o havien oblidat les beceroles estudiades. Però, així i tot, ben sovint s'endinsa en detalls o aspectes que no consten en aquella doctrina o hi consten de manera incompleta.

4.5 Han escrit articles a la premsa en els anys de postguerra molts altres autors (i vegeu més avall, §§ 4.14-15). La majoria s'han proposat de consolidar i divulgar la doctrina de Fabra, però d'altres s'han allunyat d'aquest objectiu ja massa fressat. Entre els segons podem esmentar **Gabriel Ferrater** (v. § 5.2), **Lluís Marquet** (una part dels seus nombrosos articles tècnics, a *Novetat i llenguatge,* 3 vols., Barcino, Barcelona 1979-1985), **Joaquim Mallafrè** (que ara ha recollit els articles en el llibre *De bona llengua, de bon humor,* Columna, Barcelona 1994), **Xavier Lamuela** i el mateix autor d'aquest resum (v. § 5.2). Entre els primers podem esmentar **Josep Ibàñez Sensarrich**, **Josep Munté**, **Jaume Vallcorba i Rocosa** (que escriví durant molts anys per al calendari *Bloc Maragall)* i **Eduard Artells** (1903-1971). L'últim autor, principalment amb la seva secció a la revista *Serra d'Or,* va ser un dels que més van influir sobre la llengua a causa de l'època primerenca en què els seus escrits es produïen (des de 1947 fins a 1969) i del paper que l'autor tenia com a corrector: entre ell i Bartomeu Bardagí controlaven tot el que es publicava en català. Artells, que, a més a més, era el braç dret d'Aramon (v. § 4.7), recollí aquests escrits en dos llibrets titulats *Llenguatge i gramàtica* (Barcino, Barcelona 1969-1971). Ens falta un estudi sobre la transcendència que van tenir tots aquests autors per a la fesomia de la llengua actual (n'hi ha una mica d'informació a Solà 1977; v. II, § 9.5).

Josep Ruaix

4.6 Josep Ruaix i Vinyet ha publicat una altra sèrie de manuals que han substituït el *Signe* i que han tingut i continuen tenint una gran difusió, molt superior a la dels manuals anteriors (gràcies, sobretot, a l'extensió de l'ensenyament del català, prohibit abans): *El català en fitxes* (vol. 1,

Ortografia, 1968; després titulat *Fonologia i ortografia*, [2]1974, i finalment, *Temes introductoris, fonètica i ortografia*, [3]1976; vol. 2, *Morfologia i sintaxi*, 1974; vol. 3, *Lèxic i estilística*, 1976; al principi, Spes, Barcelona; després, Ruaix, Moià; nombroses eds. i reimpressions), també amb els corresponents *Exercicis*. (Posteriorment la sèrie s'ha titulat *El català, 1-2-3*: Ruaix, Moià 1984-1985-1986; nombroses eds.; i els exercicis, *Pràctiques*.) Esmentem finalment el seu *Català fàcil* (Ruaix, Moià 1983). L'obra de Ruaix es distingeix per la voluntat de ser completa i clara. En efecte, l'autor ha fet un esforç per recollir en els seus llibres tot el que se sap des del punt de vista normatiu. Les llacunes existents en aquest terreny les pal·lia inspirant-se en treballs d'especialistes o aportant solucions i opinions personals. Tractant-se de manuals d'intenció normativa, en aquest darrer aspecte de vegades la seva tasca és discutible, ja que produeix la impressió d'estar sancionades per l'autoritat o de transmetre com a resoltes qüestions que de fet no ho estan, i alhora contribueix a fixar-les com a norma en la ment de l'usuari. A *Punts conflictius del català. Deu estudis sobre normativa lingüística* (Barcanova, Barcelona 1989) i a *Observacions crítiques i pràctiques sobre el català d'avui*, vol. 1 (Ruaix, Moià 1994), l'autor aprofundeix en diversos aspectes del lèxic i (especialment en la segona obra) de la gramàtica, amb força observacions subtils. Amb el conjunt de la seva obra, Ruaix és un dels autors que més han contribuït a fer augmentar el coneixement de la llengua durant els últims anys (especialment en qüestió de detalls), alhora que, per les seves publicacions, la seva labor pedagògica i la seva feina d'assessorament, és sens dubte l'autor actual que més pes ha tingut i continua tenint en la concepció de la normativa. En l'obra de 1994 (i ja en la de 1989) Ruaix es manifesta crític (disconforme) envers certes solucions gramaticals (i lèxiques) de la normativa, aspecte notable en un autor considerat dels més ortodoxos. Caldrà estudiar els diversos aspectes d'aquest autor si es vol entendre la situació actual de la llengua. (Vegeu també II, § 9.5.)

Altres autors

4.7 Més autors i manuals que han tingut influència durant el període són, per exemple, els següents. **Antoni Rovira i Virgili** (1882-1949) toca, en la seva *Gramàtica elemental de la llengua catalana* (Antoni López, Barcelona 1916), aquelles qüestions específiques de sintaxi (pp. 169-182) que aleshores ja s'havien posat en relleu. El llibret *Les principals* *faltes de gramàtica (manera d'evitar-les)* (Barcino, Barcelona 1925; altres eds.) de **Pompeu Fabra** serà un instrument escolar important per la matèria, per l'autor i per l'època: és una mena de catecisme la condensació del qual, a vegades excessiva (com quan diu: «L'infinitiu precedit de *en* correspon a l'infinitiu espanyol precedit de *al*», p. 25), ha pogut contribuir a la formació d'opinions massa simplistes. Fabra té també una *Gramàtica catalana (Curs mitjà)* (Pedagògica, Barcelona 1918; 5 eds.). Un altre manual molt útil és el de **Cèsar August Jordana** (1893-1958) *El català i el castellà comparats* (Barcino, Barcelona 1933; altres eds. i reimpressions), que enfoca a nivell escolar aspectes crucials de la normativa. De **Rafael Folch i Capdevila** (1881-1961) esmentaré la *Gramàtica popular de la llengua catalana* (Barcelona 1933 i cap a 1953), on hi ha exemples clars de posicions extremes i errònies (com quan diu que és un castellanisme la presència de *de* amb *darrera*, *davant*, etc.: «davant de la casa»), i sobretot el manualet *34 regles per a escriure correctament la llengua catalana* (Bonavia, Barcelona 1931; diverses eds.), el títol del qual ja dóna idea al lector de la precarietat en què va arribar a trobar-se l'ensenyament del català. La *Gramàtica catalana* de **Josep Miracle** (1904-) serà una de les més reeditades (Catalònia, Barcelona [1938]; 7 eds. més fins al 1978), tot i que no hi ha res d'especial a dir-ne. (Per a més informació sobre Rovira, Jordana i Miracle, vegeu ara Bonet 1991.)

Finalment, inclouré aquí un treball de divulgació de **Ramon Aramon i Serra** (1907-): «Notes sobre alguns calcs sintàctics en l'actual català literari» (dins *Syntactica und Stilistica...*, homenatge a Gamillscheg, Max Niemeyer, Tübingen 1957, pp. 1-33), molt significatiu i polèmic sobretot perquè l'autor era secretari perpetu de l'Institut d'Estudis Catalans. Aramon mostra com tres punts de sintaxi (la perífrasi d'obligació, el possessiu plural *llur* i els verbs copulatius *ser* i *estar*) es troben usats de manera poc «genuïna» en una colla d'escriptors del moment. El to inculpatori i la finalitat ambigua de l'article (bon reflex dels aspectes negatius d'aquest període) provocaren una incisiva resposta d'un dels escriptors que seien al banc dels acusats, **Maria Aurèlia Capmany** («En nom d'una llengua angèlica, sense tara, insensible al pas del temps, els homes de Ciència [...] han picat els dits dels indocumentats escriptors que es creuen que el llenguatge serveix per a expressar la realitat canviant i no senten prou respecte per a la immobilitat de la forma pura», etc.). L'incident és la primera d'un seguit de polèmiques públiques que sovint s'han manifestat en termes incandescents (v. § 4.20).

Actituds no tan centralistes

4.8 Vegem ara uns quants treballs escrits des de posicions menys centrals o centralistes. Però abans hem d'advertir que la doctrina de Fabra no ha passat íntegrament a les Illes Balears i menys al País Valencià, on els gramàtics «ortodoxos» han hagut de fer sempre l'esforç suplementari d'adaptar el codi a certes particularitats morfològiques i fonètiques locals: això explica certs subtítols, com els que veurem en els llibres de Valor i Moll. Aquest darrer autor diu explícitament als seus *Rudiments* del 1937: «Les gramàtiques publicades a Catalunya [...] pateixen el defecte de no tenir gaire en compte les bones condicions d'algunes particularitats del mallorquí, i per tant són poc adaptades a les necessitats dels escriptors insulars» (pp. V-VI); particularitats no necessàriament més notables que les existents en altres parlars de Catalunya mateix, però que la manca secular d'unitat política i escolar convertí fora de Catalunya en trets d'identitat. En alguns moments històrics hi ha hagut un grapat de persones que han defensat a ultrança aquests trets, particularment al País Valencià, amb la intenció clarament i públicament política de trencar la unitat entre la seva «llengua» i el «català» general.

Al Rosselló no es féu aquesta adaptació dels codis del Principat a les necessitats locals, però avui que s'està plantejant seriosament de recuperar allà la llengua pràcticament perduda, probablement hi caldrà una mena o altra d'adaptació si no es vol que la recuperació sigui una pura entelèquia. Vegem com ho expressa ara Pere Verdaguer (1993, p. 179), referint-se a l'escriptor contemporani Joan Tocabens:

> La cosa radicalment nova és que [...] Tocabens empra amb tota naturalitat els mots i girs del dialecte septentrional [...]. Obre així una porta essencial que [...] els iniciadors de la moderna narrativa nord-catalana havien (havíem) ignorat, cosa única en els Països Catalans, on una novel·la valenciana o mallorquina es coneix com a tal des de les primeres línies. És un pas necessari vers la normalització que els novel·listes nord-catalans assumeixin el seu arrelament lingüístic.

4.9 Al País Valencià hi hagué primer la *Gramàtica valenciana (nocions elementals) per a escoles de primeres lletres* (Impr. Valencianista, València 1918), de **Bernat Ortín Benedito** (1893-1940), «modesta i reduïda però molt ben orientada» (Sanchis, *Serra d'Or*, 1968, p. 286). Però qui aconseguí difondre i consolidar al País Valencià l'obra de Fabra fou **Carles Salvador** (1893-1955). Per als nostres fins podem esmentar les seves *Lliçons de gramàtica* (València 1933: [6]1974, etc.) i les seves *Qüestions de llenguatge* (Centre de Cultura Valenciana, València 1936). L'autor parteix de Fabra i es limita a adaptar-lo al valencià. Científicament, en general és de poca altura i la seva posició davant la llengua és menys flexible que la del seu model, de manera que s'alinea perfectament entre els monolitistes exagerats: aquesta «llengua materna, expurgada i correctíssima», diu en l'obra de 1936, podrà «ésser dignament la nostra llengua nacional»; qualifica de «menys dolentes» les construccions en què s'usa el possessiu *el seu/son* (avui pràcticament universal i únic a tot el domini) en lloc de l'antic i literari *llur*, i, entestat en la defensa de la doble negació que molts van oblidant, arriba a afirmar que *ni* «no indica negació». La 3a edició de les *Lliçons* (1959), pòstuma, revisada i augmentada pels editors literaris, mostra una estreta dependència de la gramàtica de Sanchis Guarner (1950, v. § 4.17) i apareix poc o molt millorada de notables deficiències en la llengua de redacció (que més d'un cop contradeia els principis establerts en l'obra). (Per a més detalls, vegeu Simbor 1983 i Bonet 1991.)

4.10 **Enric Valor** (1911-) vingué a ocupar el lloc deixat per Salvador, però amb molta més altura i elegància intel·lectual i amb un mètode i un esperit molt diferents. Valor coneix bé el valencià amb les seves varietats, i també la doctrina comuna, i és l'autor que, a un nivell no erudit, ha realitzat més satisfactòriament en valencià allò que demanava Fabra en els primers temps de la reforma: que cada dialecte es preocupés d'enriquir-se i depurar-se perquè posteriorment tots es poguessin trobar en una unitat superior. Les seves obres pertinents aquí són: *Millorem el llenguatge*, col·lecció d'articles de premsa (Gorg, València 1971; [2]1979), *Curs mitjà de gramàtica catalana referida especialment al País Valencià* (Eliseu Climent, València 1977; primeres redaccions, en castellà, 1966, 1973) i *Temes de correcció lingüística* (Eliseu Climent, València 1983). L'autor no comparteix l'opinió de la unitat fèrria, i menys imposada des de Catalunya: igual de «correcte» defensa que és de pronunciar fricativa que africada la palatal d'*arxiu* (obra de 1979, p. 19); no condemna certs usos dels pronoms *nos*, *vos*, tot i que les formes *ens*, *us* «són les obligatòries per als escriptors» –s'entén escriptors cultes– (1979, p. 67), i en defensa d'altres que la tradició centralista mirava amb mals ulls o condemnava; i, d'altra banda, en la seva exposició es preocupa més d'informar el lector i de destacar els aspectes positius que de reprimir les corrupcions. L'autor no deixa tampoc de prendre posició clara en algun punt més o menys fosc o distorsionat per la tradició del Principat. N'és un exemple important la defensa de la construcció «*al* + infinitiu» (amb referència a un temps passat: *A l'arribar, va veure que tots se n'anaven*), a la vora de «*en* + infinitiu» (amb referència a un temps futur: *En tornar el pare, dinarem;* v. § 4.11). Pel que fa a la morfologia verbal, s'aparta de totes les propostes valencianes anteriors i pren una posició més acostada a l'oficial de Fabra (proposa les formes *patesc/pateixo, pateixes, pateix, pateixen*; *patesca/pateixi, patesques/pateixis*, etc., 1977, pp. 158 i 159); posició, tanmateix, que canvia significativament i sense advertir-ho en una obra posterior, *La flexió verbal* (Eliseu Climent, València 1983). Aquesta obra es basa en la informació continguda al *DCVB* i recull «tots els verbs d'ús normal en la llengua viva o en la llengua literària» (p. 6); respecte a les formes dobles enregistrades, l'autor adverteix: «Les que figuren en primer lloc [...] són les més recomanables per ser les de la llengua literària i en general les que usaven els nostres clàssics» (p. 7). En conseqüència, per exemple, les formes del verb *patir* corresponents a les que donava en la gramàtica són (p. 78): *patesc/patisc, pateixes/patixes, pateix/patix, pateixen/ patixen*; *patesca/patisca, patesques/patisques*, etc. Aquest punt de gramàtica, el més difícil per als homes del segle XIX (v. § 1.3), continua sent, doncs, un dels més foscos pel que fa a la codificació necessària referida al País Valencià (v. § 4.17). (Més informació sobre l'autor, en Bonet 1991.)

Esmentem també *La conjugació dels verbs en valencià* (Societat Castellonenca de Cultura, Castelló de la Plana 1933) de **Guillem Renat i Ferris**. Recentment s'està renovant al País Valencià la pedagogia de la llengua, com el lector podrà veure en llibres com *Curs de llengua catalana* (Eliseu Climent, València 1977) de **Vicent Pitarch** o *Curs de gramàtica normativa per a ús dels valencians* (en tres graus, ICE de la Universitat de València, València 1979-1980) de **J. Barberà** i altres.

4.11 Francesc de Borja Moll (1903-1991) ha estat el propagador de la doctrina gramatical fabriana a les Illes Balears. Entre la seva abundantíssima producció, cal esmentar aquí els *Rudiments de gramàtica normativa per a ús dels escriptors baleàrics* (Moll, Palma de Mallorca 1962; en primera redacció, 1937; «reedició, corregida i ampliada»: *Gramàtica catalana referida especialment a les Illes Balears*, 1968; [2]1975). Els incloc aquí, a pesar de la gran personalitat científica del seu autor, perquè, per voluntat explícita seva, «aquest llibre és elementalíssim; per tant, no pretenc haver-hi posat, ni de molt, tot allò que un estudiós pot cercar referent a l'ús escrit del llenguatge insular» (1962, p. 7). Aquest és el seu límit real, però l'autor no pertany de cap manera al grup d'acòlits monolitistes que he esmentat més amunt, sinó que té un coneixement profund de tota la llengua catalana i és un romanista sòlid, per la qual cosa pot permetre's expressar, a parer meu amb excessiva prudència, la seva opinió sobre algun detall de la normativa. I així, per posar-ne només dos exemples, en la difícil qüestió de l'article neutre, després d'algunes consideracions en el mateix sentit, afirma que en alguns usos aquest article «no pot esser mirat com a castellanisme segur» (1962/1968/1975, § 221; 1937, § 176: «no pot esser mirat realment com a castellanisme»); i en la controvertida qüestió de la construcció temporal «*en/al* + infinitiu» introdueix matisos (1937, § 195; l'imitarà Sanchis el 1950, v. § 4.17, i Valor, com hem vist al § 4.10). Com a exemple d'adaptació al parlar baleàric, a part del verb, esmentaré dos detalls que serien insignificants en una situació lingüística menys sensible que la nostra: l'accentuació de *sà* 'saludable' (vs. *sa*, article femení, 1968, p. 46) i la grafia d'adverbis com *despusahir*, *decapvespre*, *capaltard*, *totd'una* (l'últim és l'únic cas en català d'apòstrof intern, idèntic al del francès *aujourd'hui*). Però, fora d'algun detall d'aquesta mena, la posició de Moll és totalment «ortodoxa». El lector hi pot trobar alguna minúcia que li estranyarà, com ara l'esment (en la 2a ed., 1975, § 151 bis) d'un temps supercompost (*he hagut cantat*), desconegut absolutament en la bibliografia i, crec, en la realitat de la llengua (també un dels exemples de pretèrit perfet perifràstic que dóna a 1968, p. 131 em sembla estrany: *Tu creus que ell vagi fugir?*); o la següent construcció de complement directe amb *a*: *Colliu-les, a les peres que ja són madures* (1968, p. 204), que igualment trobo molt estranya (en la meva experiència, inexistent; tot i que es troba al segle XVII, per exemple al *Gazophylacium* de Lacavalleria de 1696: v. II, § 2.19). Moll té també un estudi molt important sobre les formes verbals («La flexió verbal en els dialectes catalans», *AOR*, 2, 1929, pp. 73-112; 3, 1930, pp. 73-168; 4, 1931, pp. 9-104; 5, 1932, pp. 1-64) de 68 verbs (74 de previstos) en 149 poblacions, amb materials recollits per mossèn Alcover. (Més informació sobre Moll, en l'obra de Bonet 1991.)

4.12 Marià Villangómez Llobet (1913-) escrigué un *Curs d'iniciació a la llengua* (Institut d'Estudis Eivissencs, Eivissa 1973, anònim; [2]1978, nominal), amb lectures d'escriptors d'Eivissa i Formentera. Tanmateix, encara ens falta un manual que atengui més seriosament les característiques baleàriques actuals i les posi a disposició del conjunt de la llengua. Si en els aspectes estrictament normatius les aportacions de les Illes Balears són molt inferiors a les del País Valencià i a les del Principat, la diferència ha esdevingut abismal en els últims anys si hi prenem en consideració l'estudi global de la llengua en aspectes i en nivells de què no ens ocupem en aquest treball o que només esmenten (v. § 5.2). Vegeu ara, però, el § 5.3.

El Rosselló

4.13 Entre els treballs fets per autors rossellonesos (v. § 1.5), destaca sense parió **Pere Verdaguer** (1929-), que ha fet allà l'equivalent al que ha fet Valor a València, però amb molta més extensió i amb gran claredat expositiva i amenitat. A *El català al Rosselló (Gal·licismes, Occitanismes, Rossellonismes*) (Barcino, Barcelona 1974) es proposa, a més de corregir gal·licismes innecessaris, de donar a conèixer o posar en relleu fenòmens típics del parlar rossellonès dignes de tenir-se en compte o de tenir més importància pràctica en la llengua estàndard. El llibre tracta generalment de lèxic, però hi ha algun detall aprofitable per als nostres interessos, com ara la defensa de l'expressió *ho és* 'certament' i de la conjunció consecutiva *això fa que*. Esmentem dues obres més de l'autor: *Le catalan et le français comparés à travers 133 articles amusants* (Barcino, Barcelona 1976) i *Cours de langue catalane* (Barcino, Barcelona 1974), mètode escolar clàssic per a forasters.

Josep Calveras, Pere Barnils i Alfons Par

4.14 Uns altres autors d'aquest període que no militen en el bloc majoritari de la llengua monolítica són **Josep Calveras** (1890-1964), Pere Barnils i Alfons Par. El primer és el representant més sòlid de l'oposició a Fabra. Publicà un llibre de teoria, *La reconstrucció del llenguatge literari català. Estudi d'orientació* (Balmes, Barcelona 1925), seguit d'una llarga sèrie de *Consultes de llenguatge* en forma d'articles (1928-1936; una part de les quals està editada amb el mateix nom, Balmes, Barcelona 1933; detalls a Solà 1977), que constitueixen un importantíssim corpus teòric i pràctic basat en una informació àmplia i bona. En síntesi el seu pensament i la seva posició són els següents. Calveras creu que la fixació definitiva de la normativa ha d'anar precedida d'un període de revitalització i normalització del(ls) parlar(s) viu(s), de participació abundant dels escriptors i de més bon coneixement dels dialectes i de la llengua clàssica; i per tant, que avui (aleshores) és encara prematura una tal fixació. Reacciona contra l'uniformisme lingüístic prou ben il·lustrat als paràgrafs anteriors, a favor d'una flexibilitat més gran de registres i nivells: «Hi ha, doncs, tot el dret d'escriure com se parla, en llenguatge de casa i de la terra, allà on no es tracta de producció literària general [...] i fins en les publicacions literàries d'extensió comarcal o regional»: en tals registres, que ningú no «es preocupi massa dels preceptes exclusius i convencionals de la gramàtica literària oficial», diu (1925, p. 20), claríssima al·lusió als codis de Fabra. El paper d'opositor, sobretot en uns anys que la doctrina oficial ja s'havia consolidat, el va portar alguna vegada a una adhesió una mica sentimental cap a la multiforme riquesa de la llengua, un xic a l'estil de mossèn Alcover (v. § 2.2). Calveras estudià també el problema de les «Variants de les preposicions *a*, *en*, *ab* en els dialectes catalans» (*AOR*, 1, 1928, pp. 151-178) i «La forma *que* del relatiu català» (*AOR*, 2, 1929, pp. 185-254; 3, 1930, pp. 177-243), amb una gran riquesa de materials, molt útils encara avui, diferentment dels resultats que n'obté.

4.15 També **Pere Barnils** (1882-1933) en algun moment s'emociona per «la força prodigiosa de creació i de recursos substitutius de la llengua». Aquest autor no és un opositor de Fabra, sinó un de tants divulgadors de la llengua, però en els seus comentaris periodístics (*De la paraula viva*, articles publicats amb el pseudònim de *Wieder*, 1928-1929; detalls a Solà 1977), sense l'aparat crític dels de Calveras, procura mantenir-se en una situació de no compromís respecte a la consideració de correcte/incorrecte i més aviat es mostra tolerant.

4.16 Alfons Par (1879-1936) fou el primer (i fins ara l'únic) que estudià a fons la sintaxi antiga. La seva tesi, *Sintaxi catalana segons los escrits en prosa de Bernat Metge (1398)* (Max Niemeyer, Halle 1923) és sòlida i encara avui és de primera necessitat, pel simple fet que ningú no ha continuat per aquest camí. En aquesta obra fa incursions en la llengua i la normativa modernes quan ho creu oportú. El lector pot veure d'altres estudis seus a l'*AOR*, 1 (1928), pp. 119-150, i 3 (1930), pp. 169-176. Par era contrari a la normativa de Fabra, per la qual cosa la seva obra fou llargament silenciada.

Manuel Sanchis Guarner

4.17 Manuel Sanchis Guarner (1911-1982) és una gran figura cultural i cívica, no solament filològica i gramatical, de la València contemporània. Les seves múltiples publicacions estan esquitxades de matèria gramatical,.però aquí em limitaré a esmentar la seva obra màxima en aquest terreny, la *Gramàtica valenciana* (Torre, València 1950; ed. facsímil, Alta Fulla, Barcelona 1993, amb un pròleg i complements d'Antoni Ferrando, que ho torna a publicar a *Caplletra*, 12, 1992 [1994], pp. 59-112), en la qual explícitament (p. 23) es proposa investigar a fons els parlars locals i comparar-los amb el valencià clàssic, tal com havia urgit Fabra (*Converses*, ed. Pey, núm. 619). Per Badia (*Gramática* de 1962, v. § 4.18, p. 52), «el autor demuestra un vasto conocimiento de las hablas vivas valencianas y de la lengua clásica [...]; la posición del autor representa la adecuación del valenciano a la doctrina gramatical del "Institut", en un grado de superación de lo más específicamente dialectal»; i per Moll, que prologa el llibre: «Representa no menys que la inauguració d'una època nova en la lingüística valenciana: l'època de la superació del dilettantisme [...] i la implantació de la tècnica, del mètode científic del professional ben format. Després de l'aparició d'un tal llibre, no és comprensible que es puga fer un diccionari valencià a base d'una simple adaptació dels lèxics castellans [...]; ni és possible [...] que es facen treballs gramaticals fundats en una adaptació rutinària de les gramàtiques llatines escolàstiques» (p. 9), paraules que resumeixen una bona part del passat d'aquelles latituds. La part potser més original i sòlida del llibre és la fonètica (pp. 63-104), important per a aquells parlars. Després ve l'ortografia (pp. 107-134) i a continuació la morfosintaxi (pp. 137-294), en la qual destaca l'estudi del verb.

Sanchis entra a fons en la morfologia verbal i descriu i preceptua al mateix temps, atesa la vacil·lació que sempre hi ha hagut en aquest punt: defensa la inclusió «en la llengua literària» del present d'indicatiu en *-o* (*jo canto*), i també les variants de l'imperfet de subjuntiu *cantara/cantàs*, *batera/batés*, *sentira/sentís*; en subjuntiu i imperatiu prefereix *batem*, *bateu*, *sentim*, *sentiu* a *batam*, *batau*, *sintam*, *sintau*; no admet els subjuntius en *-o* (*canto*, *cantos*...) ni els gerundis en *-guent*; etc. (pp. 150-153). Un dels punts més conflictius del verb valencià han estat sempre les formes incoatives, en què els diferents autors donen formes com (per al present d'indicatiu) 1 *partixc/partisc/partesc/parteixo*, 3 *partix/parteix*, sense posar-se totalment d'acord sobre l'acceptabilitat que haurien de tenir en la llengua formal (el lector podrà comprovar-ho en aquesta obra de Sanchis, pp. 153-156, i en els següents autors vistos més amunt, v. §§ 4.9-10: Salvador [2]1952, p. 111; [6]1974, p. 115; Valor 1966, p. 136; 1977, p. 158; 1983, pp. 66, 78; Pitarch 1977, pp. 64-67, 134). Sanchis aquí es mostra partidari de les formes que he donat en primer lloc (i ell mateix les usa: 1 *partixc*, 3 *partix*), que són les que els altres autors precisament posposen o més aviat rebutgen. Bonet (1991) fa veure la inseguretat de criteris amb què Sanchis fa la selecció de formes. Així, Sanchis proposa *muir* perquè és forma clàssica i desrecomana *muirc/muic*, que són les formes vives; i en canvi, prefereix *vullc*, forma viva, a *vull*, clàssica; en la parella *viure* i *eixir*, proposa *visc* (clàssica) al costat de *vixc* (que dóna com a secundària, tot i que existeix en gran extensió), però dóna únicament *ixc* per al segon verb (Fabra donava *isc*); preferint *tindre* i *vindre* sobre *tenir* i *venir*, ara torna a donar prioritat a la llengua viva sobre la clàssica (i torna a divergir de Fabra), i en canvi prefereix *veure* (clàssica) a *vore* (forma universal al País Valencià) perquè considera que la segona és una corrupció de la primera; en els paradigmes dóna *càpia* i *sàpia*, i després considera admissible «en llengua literària» *càpiga*, però no esmenta la corresponent *sàpiga*; etc.

Un altre dels punts de màxima tensió entre els teoritzadors i els que viuen en contacte amb la realitat de cada dia són els demostratius, en què aquells donen les formes *aquest/est/este*, *aquesta/esta*, *aquests/aquestos/estos*; *aqueix/eix/eixe*, etc., en general recomanant en llengua formal les primeres de cada grup (*aquest*, *aqueix*, etc., pràcticament desconegudes en llengua oral en molts indrets del País Valencià) i prohibint, desaconsellant o ignorant les terceres (les masculines *este*, *eixe*, les més corrents en col·loquial). El lector pot veure el problema en els autors esmentats. Sanchis també és aquí dels autors més populistes: menciona en primer lloc *est* i *eix*, que són les formes que ell usa en la redacció (on també apareixen, amb menys freqüència, les formes *este* i *eixe*, malgrat que l'autor les qualifica de «menys tolerables»). Més amunt (§ 4.10) hem vist les vacil·lacions en la morfologia verbal d'un altre autor, Enric Valor. El neguit al País Valencià havia arribat a ser tan preocupant que l'Institut d'Estudis Catalans ha divulgat un document amb una proposta sobre les formes verbals i les formes dels demostratius (IEC 1993).

Aquest aspecte de la seva gramàtica, en un autor ideològicament ortodox per antonomàsia, va causar poc o molt desassossec en cercles valencians preocupats per la llengua. Vegeu ara aquest important aspecte explicat per Ferrando (1993) en l'edició facsímil, pp. XXVI-XXVIII i XXXVII ss. Les seves fonts són, entre altres (inclòs el seu bon coneixement personal de la realitat), els gramàtics valencians anteriors i els autors clàssics: als darrers, hi apel·la amb massa freqüència i massa força, a parer meu. Finalment, diguem que Sanchis, amb els coneixements i l'autoritat que tenia, alguna vegada hauria pogut anar més enllà de la simple repetició de la norma establerta (com en el cas de les perífrasis d'obligació, p. 197, en què el valencià, amb el verb *deure,* de valor diferent al dels altres dialectes, té un problema seriós d'adaptació a allò que es dictaminava des de Catalunya). Mes informació sobre aquest autor a Garí (1991) i en diversos treballs recollits a Ferrando (1992, vol. I).

Antoni M. Badia i Margarit

4.18 Antoni M. Badia i Margarit (1920-) és un dels autors que més aportacions ha fet al coneixement del català, en diversos terrenys: històric, sincrònic, social, etc. Per als interessos del nostre estudi em centraré en la seva *Gramática catalana* (Gredos, Madrid 1962, 2 vols.; altres eds. Per a més comoditat faré les referències al núm. de paràgraf de l'obra). Es tracta de la gramàtica més completa que existeix encara avui en un nivell més exigent que el de simple divulgació. L'autor explicita la finalitat i el pla de l'obra (§ 19): «Nuestra gramática se dirige primordialmente a ser expresión de la modalitat barcelonesa [...] de la lengua» i «quiere ser [...] *descriptiva* y *normativa*» alhora, «pero no esencialmente *práctica*» (no conté exercicis); «aspira a describir la cualidad lingüística de las personas mediana o predominantemente cultas», de manera «que llegue a exponer el estado de la lengua de hoy [...] con atención preferente hacia una modalidad [...] no tan sujeta como la de la literatura escrita»; tot això, en última instància, «para encauzar la realidad del idioma vivo hacia la preceptiva de la gramática oficial [...] y [...] para suministrar informaciones a esa gramática normativa sobre el actual sentir del idioma». L'obra, escrita en castellà, es dirigeix, com la de Fabra de 1912, a un públic ampli, inclòs el no catalanoparlant, i per això té capítols complementaris d'informació general sobre la llengua, un tractat d'ortografia i un índex de paraules exhaustiu (però poc útil com a índex de matèries), amb indicació de la qualitat vocàlica i la traducció castellana.

En aquest cas és pertinent de dir que l'autor es basa explícitament en les obres següents (indico en quins paràgrafs d'aquest estudi les trobarà el lector): Fabra 1912, 1918, 1956 (i en algun moment el diccionari de 1932: vegeu Badia § 269) (v. § 3.3); Marvà 1934 (v. § 4.3), Jordana 1933 (v. § 4.7), Moll 1937 (v. § 4.11); Sanchis 1950 (v. § 4.17), la *Gramática história catalana* del mateix Badia (Noguer, Barcelona 1951; trad. cat., Eliseu Climent, València 1981); i el *Curso superior de sintaxis española* de S. Gili y Gaya (Spes, Barcelona ^{3}1951), que li servirà de model teòric. Badia vol ser exhaustiu en la teoria (és a dir, pel que fa a categories, conceptes i classes) i en la pràctica (referència explícita al català), i el seu llibre és satisfactori en tots dos aspectes: en efecte, per estrany que pugui semblar, el català encara no disposava, per exemple, d'un tractat de l'oració composta (§§ 281 ss.) aplicat a la llengua moderna o d'un estudi coherent dels usos de *ser* i *estar* (§§ 269 i 270). En l'aspecte pràctic, l'autor exemplifica absolutament tots els fenòmens i les paraules que estudia, i així cobreix zones que abans tenien un tractament excessivament esquemàtic o implícit (preposicions, conjuncions, adverbis, perífrasis verbals, valors de l'infinitiu, certs fenòmens de passivització, § 275). La seva posició normativa és flexible (per exemple, en el cas tan insignificant com enquistat en la nostra vida lingüística dels plurals del tipus *passeigs/ passejos*, § 87), encara que explicita sempre allò que està sancionat com a incorrecte («n. a.»: no acceptable) i es preocupa d'advertir el nivell («familiar», etc.) de certs usos. En més d'un cas, però, l'autor dóna com a no acceptables fenòmens que no consten als codis oficials, amb la qual cosa la qualificació de «n. a.» ha de tenir un significat més lax, és a dir menys precís.

Un lector exigent hi trobarà algun descuit (com ara admetre femenins del tipus *fèrrea*, que Fabra rebutjà a partir de l'edició de 1931 del

Diccionari ortogràfic), però sobretot hi observarà dos aspectes negatius importants, destacats per Bonet (1991). El primer és una certa inseguretat en el maneig de conceptes lingüístics (és paradigmàtic el cas dels verbs *ser* i *estar*, i és il·lustrativa la classificació de les oracions compostes); el segon és el fet que, amb paraules de Bonet, «no sempre l'autor tenia present l'evolució històrica que havia sofert el corpus normatiu en mans del mateix Fabra, de tal manera que, per exemple, presentava com a definitives solucions pròpies de la primera edició de la *Gramàtica* de l'Institut sense prendre en consideració les diverses modificacions significatives de les últimes edicions [...] o, en menor grau, de la *Gramàtica* pòstuma de 1956». Afegim-hi que en algun cas l'autor es queda limitat, com en la qüestió de les perífrasis d'obligació (igual que Sanchis: v. § 4.17). Pel que fa a certes formes verbals, vegeu el que en diu Segarra (1985*b*, pp. 121-122). Badia va publicar un resum precipitat de «Gramática» al *Lexikon der Romanistischen Linguistik* (vol. V, 2, Max Niemeyer, Tübingen 1991, pp. 127-152), de caràcter fonamentalment històric, que té el defecte essencial de manejar un corpus bibliogràfic inexplicablement (i inexplicadament) limitat i antic: no hi apareix cap treball recent. Per a d'altres treballs de l'autor relacionats amb el nostre tema (sobre morfosintaxi, el subjuntiu, etc.) vegeu Badia (1976) i Gulsoy (1982).

Manuals per a estrangers

4.19 A part les referències que hi he fet (v. §§ 1.5, 1.10 i 4.13), no esmentaré cap altre manual per a estrangers: el lector en trobarà una relació a Badia (1976) i a la seva *Gramática* (v. § 4.18), a Bover (1993) i a Rasico (1991, p. 107). La raó és que es tracta d'una matèria aliena a les pretensions d'aquest treball, que bàsicament vol donar compte de l'evolució del pensament gramatical. Així i tot, potser podríem citar-ne dues o tres per algun fet particular. Concretament, esmentaré la *Introductory Catalan Grammar* de **Joan Gili** (The Dolphin Book, Oxford / Hafner, New York 1943; segons fitxa de Rasico 1991, p. 107), pel fet que a la 4a edició (The Dolphin Book, Oxford 1974) conté un notable capítol sobre «Pronunciation and spelling» a càrrec de **Max W. Wheeler**, novetat en aquest tipus d'obres. També la part gramatical, de Rafel, de la *Introducción a la lengua y la literatura catalanas* (Ariel, Barcelona 1977), d'**Arthur Terry** i **Joaquim Rafel**, conté detalls que interessen la nostra matèria. Finalment, serà oportú d'esmentar la primera gramàtica escrita en anglès, si, com sembla, és cert el que en diu Rasico (1991), p. 119: que aquesta obra «has remainded virtually unnoticed for more than half a century»: es tracta del llibre *A Modern Catalan Grammar* de **Washington Irving Crowley** (G. E. Stechert, New York 1936, «published simultaneously in Leipzig, London and Paris», segons Rasico, p. 109).

Defensa de la llengua

4.20 En el domini lingüístic català hi ha sempre pendent una qüestió eterna i insoluble, que és la de fer compatibles els tres ideals següents:

a) assegurar l'*ús* efectiu i públic del català;

b) salvaguardar la llengua de la *patuesització* a què inevitablement la condueixen les persecucions, les importants immigracions i la pressió política, social, escolar, periodística, televisiva i econòmica del castellà (i del francès);

c) aconseguir que almenys certs ciutadans (lingüísticament influents) estudiïn (aprenguin bé) una llengua que *no és necessària* per viure perquè, en el millor dels casos, conviu amb una altra que és universalment coneguda, viscuda i obligatòria.

La primera aspiració condueix a la defensa de la llengua real, viva, la que (tan barbaritzant com es vulgui) parla tothom (tothom qui parla català, evidentment). La segona origina un corrent inesgotable d'articles periodístics, de tractats de barbarismes i de polèmiques, que en conjunt són un dels aspectes recursius més apassionants i un dels trets externs més característics de la llengua des de mitjan segle passat, i especialment en els períodes 1955-1970, 1982-1992. En el darrer període esmentat el problema es pot definir així: ¿com es pot aconseguir en els grans mitjans de comunicació un català genuí i digne, que alhora sigui representatiu de tot el domini (i no tan sols del centre productor cada vegada més absorbent, Barcelona) i s'adapti a les característiques i als canvis de la vida i del llenguatge d'avui, i això tenint en compte que moltíssims professionals d'aquests mitjans no posseeixen, en el millor dels casos, altra llengua que la viva del carrer, amb algun discutible vernís adquirit en unes classes d'urgència, i una altra capa de vernís superposat que és tot el que se'ls encomana d'aquests mateixos mitjans de comunicació que ells serveixen, en gran part imitadors servils de les modes i els usos castellans? Per a més detalls, remetem el lector a II, capítol 9.

Els llibres d'estil

4.21 Em sembla convenient de dir, ni que sigui molt breument, alguna cosa sobre un fenomen que té una extraordinària significació a les acaballes del segle XX: l'existència dels anomenats «llibres d'estil».

Els llibres d'estil són en teoria manuals que adapten a un determinat mitjà de comunicació o a una empresa concreta les normes i les convencions lingüístiques, i de vegades inclouen altra informació útil més o menys específica: per exemple, en el cas d'empreses periodístiques, inclouen capitals polítiques dels estats, noms dels dirigents més importants, normes per fer els titulars del diari, etc. En el cas del català, una part molt important d'aquests manuals acaba sent irremeiablement un recordatori de normes poc clares o debatudes i una llista de dificultats lèxiques i fraseològiques. En realitat, aquesta mena de dificultats no haurien de poder quedar resoltes en un llibre d'estil, perquè l'encarregat de resoldreles hauria de ser l'autoritat lingüística reconeguda. Però les llargues dècades en què aquesta autoritat no ha exercit i la pressió enorme dels mitjans de comunicació en anys recents en què l'Institut ha començat a actuar, han provocat que forçosament s'hagués de prendre partit en múltiples detalls des de les pàgines dels llibres que ara ens ocupen.

Es comprendrà la transcendència del fenomen si es té en compte que actualment la vigilància de la llengua es troba en mans d'una important xarxa d'assessors lingüístics que estan organitzats en centres més o menys jerarquitzats. Doncs bé: avui no hi ha cap centre que no disposi de la seva sèrie de manuals o manualets d'estil: sobre puntuació, sobre majúscules, sobre dubtes gramaticals i lèxics, etc. I la immensa majoria d'assessors s'abstenen de prendre cap tipus d'iniciativa: tot s'ha de consultar en aquests manuals o bé en un dels múltiples telèfons lingüístics que posseeixen certes entitats. La majoria d'aquests manuals deriven o són simples transcripcions o paràfrasis d'un altre material publicat per una entitat jeràrquicament superior o bé paral·lela: amb la qual cosa, en teoria s'hauria de produir una uniformització notable i fins pràcticament total. En realitat, aquest monolitisme no s'ha arribat a produir, potser gràcies a (o per culpa de) l'existència de fonts d'opinió externes a la xarxa esmentada.

4.22 Moltes entitats posseeixen orientacions d'ús intern que no han estat publicades. Entre els llibres d'estil que han vist la llum em limitaré a esmentar-ne quatre que em semblen especialment significatius. El més antic de tots és *Un model de llengua pels mitjans de comunicació. Llibre d'estil del Diari de Barcelona* (Empúries, Barcelona 1987), fet sota la direcció de **Xavier Pericay**. Aquest breu manual va ser significatiu perquè fou el primer que s'atreví a adoptar una sèrie de posicions sobre punts foscos o controvertits de la llengua i precisament amb destinació a un òrgan de comunicació de notable difusió.

Josep Lacreu publicà un extens *Manual d'ús de l'estàndard oral* (Universitat de València, València 1990) que tingué el mèrit de ser el primer que s'encarava de manera detallada amb la modalitat oral de la llengua. El llibre conté en realitat informació molt abundant, i sovint nova, aplicable a les modalitats oral i escrita. **Eusebi Coromina** va fer el manual d'un altre mitjà escrit: *El 9 Nou. Manual de redacció i estil* (Eumo, Vic 1991). A part els capítols dedicats més específicament a l'estil i a les convencions (gràfiques, etc.) del diari (*El 9 Nou*) i a les qüestions gramaticals habituals, aquesta obra conté un extens vocabulari on l'autor manifesta una personalitat lúcida i segura en relació amb els al·ludits punts foscos de la llengua.

La **Direcció General de Política Lingüística** de la Generalitat de Catalunya ha editat, a través del Consorci per a la Normalització Lingüística, les fitxes de l'anomenat *Telèfon lingüístic,* les quals fitxes porten la data de maig de 1993. La meitat de la matèria són dubtes gramaticals i lèxics habituals, entre els quals hi ha força veus tècniques. Les fitxes són en general clares i precises, bé que esquiven certs compromisos que no es podrien dirimir des d'una entitat oficial que no pot contradir l'autoritat lingüística reconeguda.

5. APORTACIONS RECENTS

5.1 En aquesta obra he pretès donar compte de l'evolució global de la gramàtica com a codi de l'ús, i per això m'he valgut fonamentalment dels tractats generals i dels autors més influents. De fet, aquesta visió global es podria donar per tancada, però el lector hi trobaria a faltar informació sobre dos grups de treballs: els d'uns quants autors que han estat especialment influents durant els últims anys (com ara Coromines o Ferrater) i els d'una quantitat important d'autors més joves que han treballat amb mètodes actualitzats. Entremig n'hi ha encara diversos més que no han pogut ser atesos al llarg d'aquest estudi a causa de les limitacions de què he partit.

5.2 Efectivament, des de fa uns quants anys l'estudi del català ha entrat en una fase que podríem qualificar d'exuberant, almenys per comparança amb els períodes anteriors. La causa d'aquesta vitalitat ha estat l'accés de la llengua i la cultura catalanes a l'escola i a la universitat, causa que alhora ha fet que s'incrementessin els catalanòfils de fora del domini lingüístic (agrupats principalment en l'Associació Internacional de Llengua i Literatura Catalanes i en altres agrupacions locals, d'Estats Units i Canadà, del Regne Unit, de França, d'Alemanya i d'Itàlia). A partir d'aquest moment l'estudi de la llengua es tecnifica més, en general, i es planteja amb objectius més descriptius i fins i tot heurístics que no pas normatius o codificadors. El cas és que avui comptem amb una impressionant massa de coneixements importants o interessants des de l'estricta perspectiva de l'estudi que el lector té a les mans: aquestes aportacions hauran de ser tingudes en compte el dia que es vulgui actualitzar el codi normatiu o que, simplement, es pretengui de donar una descripció moderna de la llengua. He considerat que l'anàlisi i la valoració d'aquest material sobrepassava no sols les meves pretensions sinó fins i tot les meves possibilitats actuals. Però he cregut un deure de justícia de consignar-lo, si més no, al final d'aquest estudi.

D'aquests treballs, tot seguit en donaré únicament una mostra: aquells que em semblen més pertinents des de la perspectiva d'aquest estudi, és a dir, aquells que poden aportar alguna cosa a la gramàtica com a codi de l'ús estàndard. En principi, no anotaré els treballs merament teòrics, referits a conceptes (com ara l'estandardització o el bilingüisme) o a mètodes o teories (com ara la gramàtica generativa): per tant, cal deduir que els treballs més teòrics que esmento tenen sempre, com a mínim, l'interès de les dades empíriques manejades. Cal tenir en compte que diversos treballs d'aquest apartat 5.2 afecten també la matèria de què tractem a II, § 9.4, i viceversa: ens ha semblat que no calia repetir-los i els hem donat en un dels dos llocs, sovint sense cap criteri decisiu. També els llibres d'estil de què hem parlat al § 4.13 afecten de ple la matèria de tots dos llocs, i tampoc no repetiré els ja esmentats abans.

R. Alamany: «Sobre la construcció en les expressions de data. Edició de la polèmica entre Joan Coromines i Antoni Rovira i Virgili», *Revista de Llengua i Dret*, 4.2 (1984), pp. 83-110.

Emilio Alarcos Llorach: *Estudis de lingüística catalana*, Ariel, Barcelona 1986.

Helena Alonso i Jordi Suïls: «La morfologia verbal de subjuntiu al Segrià: estudi prospectiu», *Sintagma* (Universitat de Lleida), 5 (1993), pp. 5-17.

Àlex Alsina: «Assaig de definició de les funcions del pronom *en*», *ELLC*, XII (1986), pp. 95-121.

Joan A. Argente: «Un exercici d'anàlisi transformacional del pronom *en*», dins Víctor Sánchez de Zavala (ed.), *Estudios de gramática generativa*, Labor, Barcelona 1976, pp. 13-58; «Li vaig veure les cuixes», *Els Marges*, 6 (1976), pp. 103-110 (sobre la possessió).

Toni Badia: *Aspectes del sintagma nominal en català des de la perspectiva de la traducció automàtica*, Publicacions de l'Abadia de Montserrat, Barcelona 1994.

Joan-Manuel Ballesta i Roig: «"Observa en l'exemple que es va fixar!": notes sobre la universalitat del principi de projecció i un tipus de qüestions indirectes en català», *Els Marges*, 36 (1987), pp. 99-103; «Algunes consideracions entorn dels verb copulatius en català», *LL*, 2 (1987), pp. 359-375; «Sobre la distribució complementària del subjuntiu i de l'infinitiu en oracions completives», *Els Marges*, 44 (1991), pp. 19-31, i

45 (1992), pp. 45-58; «The complementary distribution on the subjunctive and the infinitive in complement clauses», *CatWPL*, 3.1 (1993), pp. 1-49 (els dos últims treballs, amb aplicacions al català).

Maria Bargalló Escrivá: «Sobre la complementariedad entre anáforas y pronominales», dins Viana (1993), pp. 29-43 (amb dades en català).

Anna Bartra Kaufmann: «Entorn de l'estructura de les frases amb ésser i estar», *Estudi General* (Girona), 1.II (1981), pp. 87-93; «Alguns sintagmes agents excepcionals», *CatWPL*, 0 (1984), pp. 7-25; «*Ho*, predicat i argument», *Els Marges*, 35 (1986), pp. 77-85; «Reflexions sobre els pronoms febles predicatius», *Actes* Tolosa, 1988, pp. 189-200; «Encara hi ha més (entorn de *en* i alguns SNs genitius)», *LL*, 2 (1987), pp. 377-427; «Sobre unes frases relatives sense antecedent», *Caplletra*, 8 (1990), pp. 131-148.

Anna Bartra i Josep Maria Brucart: «Alguns arguments a favor de la categoria *Sintagma Predicatiu*», *Els Marges*, 24 (1982), pp. 91- 113.

Anna Bartra Kaufmann i Avel·lina Suñer Gratacós: «Functional projections meet adverbs», *CatWPL*, 2 (1992), pp. 45-85.

Joan Bastardas i Parera: «Sobre la construcció medieval "per sarraïns a preïcar"», *EUC*, XXIII (1979), pp. 39-58; «Nota sobre l'omissió del pronom reflexiu en la construcció factitiva *fer* + infinitiu», *Randa*, 10 (1980), pp. 5-24.

Joan Bellès: «La progressió temàtica», *Com Ensenyar Català als Adults*, suplement 8, 1991, pp. 37-54 (sobre l'ordre de mots).

Joan S. Beltran i Caballé: *L'estàndard occidental. Una proposta sobre l'estàndard català a les terres del darrer tram de l'Ebre*, Generalitat de Catalunya, Barcelona 1986.

T. Berchem: «Considérations sur le parfait périphrastique *vado* + infinitif en catalan et en gallo-roman», *Actas del XI congreso Internacional de Ling. y Filol. Románicas,* Madrid 1968, pp. 1159-1169.

Gabriel Bibiloni i Jaume Corbera: «La llengua normativa a les Illes Balears», *Actes* Normativa, I (1984), pp. 147-156.

Eduard Blasco Ferrer: «Entorn dels temps verbals i els conceptes d'"aspecte", "aktionsart" i "estadi" en català», *Els Marges*, 25 (1982), pp. 109-114; «L'evolució de l'ordre dels mots en francès, espanyol i català. Una anàlisi tipològica i comparativa», *ELLC*, XVIII (1989), pp. 11-35.

Eulàlia Bonet i Alsina: «L'entonació de les formes interrogatives en barceloní», *Els Marges*, 33 (1986), pp. 103-117; «Sobre un dels usos de *hi* en lloc de *li*», *Els Marges*, 46 (1992), pp. 101-110; «3rd person pronominal clitics in dialects of Catalan», *CatWPL*, 3.1 (1993), pp. 85-111.

Sebastià Bonet: «Els numerals catalans», *Anuario de Filología* (Universitat de Barcelona), 7 (1981), pp. 507-528; «Un problema d'anàlisi sintàctica: el verb *semblar*», *Actes del Primer Congrés de Llengua i Literatura Catalanes al Segon Ensenyament,* Generalitat de Catalunya, Barcelona 1985, pp. 39-57; «Els manuals de gramàtica i la llengua normativa», *Actes* Normativa, III (1989), pp. 11-73.

Sebastià Bonet i Joan Solà: *Sintaxi generativa catalana*, Enciclopèdia Catalana, Barcelona 1986: primera descripció global amb aquest mètode.

Albert Branchadell: «El cas de l'objecte indirecte», dins Viana (1993), pp. 45-58.

A. Briz i M. Prunyonosa: *Sintaxi i semàntica de l'article*, Universitat de València, València 1987.

Jordi Bruguera: «La locució prepositiva "de part", el present històric i el perfet perifràstic en la Crònica de Jaume I», *Miscel·lània Pere Bohigas,* I, Publicacions de l'Abadia de Montserrat, Montserrat 1981, pp. 27-42.

Teresa Cabré i Castellví: *A l'entorn de la paraula*, 2 vols. (Lexicologia general i Lexicologia catalana), Universitat de València, València 1994.

Teresa Cabré Monné: «*Abans no*: un cas d'expletiu obligatori», *Els Marges*, 45 (1992), pp. 103-106.

Julio Calvo: *Substantiu i adjectiu*, Universitat de València, València 1986.

Michel Camprubi: «La représentation de l'espace à travers les syntagmes prépositionnels en catalan», *Mélanges offertes à Maurice Molho*, Linguistique, vol. III, 1987, pp. 31-46; «La référence temporelle dans les syntagmes prépositionnels en espagnol, catalan et français», *Hommage à Bernard Pottier*, I, Klincksieck, Paris 1988, pp. 143-155; «Les prépositions dans le domaine notionnel. La construction prépositionnelle des verbes et adjectives en catalan et en espagnol», *Cahiers de Grammaire* (Université de Toulouse-Le Mirail), 13 (1988), pp. 25-60; «La rélation prépositionnelle entre le nom et son complément nominal en espagnol et en catalan», *Cahiers de Grammaire* (Université de Toulouse-Le Mirail), 15 (1990), pp. 3-23.

Cristià Camps: «L'emploi des démonstratifs dans *L'Oliveda* de Jean Amade (1878-1949», *RLaR*, LXXXII (1977), pp. 43-54; «L'ús de les preposicions dins l'obra poètica de Joan Amade», *EUC*, XXIV (1980), pp. 127-133.

Josep M. Castellà i M. Josep Cuenca: «La gramàtica no ho és tot, oi?», *Com Ensenyar Català als Adults,* 28 (1993), pp. 27-29.

Rosa Colomer, Glòria Fontova, Neus Forcano, Antònia Serena i Anna Vallès: «Aportació a l'estudi del canvi i la caiguda de preposicions», *Com Ensenyar Català als Adults*, 16 (1988), pp. 22-28.

Jordi Colomina i Castanyer: *El valencià de la Marina Baixa*, Generalitat Valenciana, València 1991; «La contribució dels dialectes a la fixació d'un model estàndard», dins *I Jornades de Sociolingüística: «la llengua estàndar»*, Ajuntament d'Alcoi, Alcoi 1993, pp. 11-38.

Germà Colon: *La llengua catalana en els seus textos,* II, Curial, Barcelona 1978 (treballs sobre el perfet perifràstic, de 1959 i 1970 [1976]).

Joan Coromines té nombroses aportacions a la normativa escampades per la seva vastíssima obra, on, a més a més, predica amb l'exemple (escrivint *pendre* on Fabra diu *prendre*, usant l'expressió *no obstant* sense subjecte, etc.: v. Solà, *Lingüística i normativa*, citada més avall, pp. 63-90). Al seu llibre *Lleures i converses d'un filòleg* (Club Editor, Barcelona 1971; diverses eds.) va fer importants aportacions pel que fa a la normativa en ortografia (pp. 61-69), ortologia (pp. 94-105, terreny pràcticament verge aleshores: avui és tema prioritari a causa dels mitjans audiovisuals) i sintaxi (passiva pronominal, pp. 77-82, i preposicions *per/per a*, pp. 105-179, tema extremament delicat i difícil aquest darrer, en el qual ha aconseguit convèncer una part d'estudiosos i usuaris de la conveniència de simplificar la normativa).

Lluís Creixell: «Ésser i estar en català», *Sant Joan i Barres* (Perpinyà), 52 (1973), pp. 27-39.

M. Josep Cuenca: *L'oració composta (I): la coordinació* i *...(II): la subordinació*, Universitat de València, València 1988 i 1991; «La connexió textual: l'adversativitat en el nivell textual», *Caplletra,* 7 (1990), pp. 93-116; «Els matisadors: connectors oracionals i textuals», *Caplletra,* 8 (1990), pp. 149-167; «Sobre l'abast de la negació: negació parcial i processos de rematització», *Actas del VI Congreso de Lenguajes Naturales i Lenguajes Formales,* PPU, Barcelona 1991, pp. 379-391; *Les oracions adversatives,* Publicacions de l'Abadia de Montserrat, Barcelona 1991; «Sobre l'evolució dels nexes conjuntius en català», *LL,* 5 (1992-1993), pp. 171-213; «Sobre la sintaxi del participi passat: les clàusules de participi», *Actes du XXe Congrès International de Ling. et Philol. Romanes* (1992), I (1993), pp. 151-162.

M. Josep Cuenca i Manuel Pérez Saldanya: «Característiques distintives de les clàusules no finites», *Actas del VIII Congreso de Lenguajes Naturales y Lenguajes Formales,* PPU, Barcelona 1992, pp. 265-272.

Janet Ann DeCesaris i Gina Concetta Hardalo: «Observacions sobre la concordança del participi en català»: *Actes* Yale, 1979, pp. 91-99; «De second conjugation in Catalan revisited», dins John Staczek (ed.), *Oh Spanish, Portuguese, and Catalan Linguistics,* Georgetown University Press, Washington, D. C. 1988, pp. 74-82; *Regular Verb Inflection in Catalan,* Tesi doctoral, Indiana University 1988 (disponible en microfitxa, Universitat de Michigan).

Wolf Dietrich: *Das periphrastische Verbalaspekt in den romanischen Sprachen,* Max Niemeyer, Tübingen 1973. (Trad. cast., *El aspecto verbal perifrástico en las lenguas románicas,* Gredos, Madrid 1983; amb atenció al cat.)

Rolf Eberenz-Greoles: «La categoria temporal del verb català i el problema del temps en la dimensió textual», *EUC*, XXIII (1979), pp. 169-180.

M. Teresa Espinal i Farré: «*Tu rai!* Observacions sobre un mot-frase anafòric», *Els Marges*, 18-19 (1980), pp. 102-108; *Els verbs auxiliars en català*, Universitat Autònoma de Barcelona, Bellaterra 1983; «Anàlisi interpretativa d'*encara* i *ja*», *CatWPL*, 0 (1984), pp. 109-148; «Els mots connectors: entorn de *rai*», *Els Marges*, 35 (1986), pp. 21-42; «Nota sobre una tipologia dels adverbis en *-ment*», *Miscel·lània Joan Fuster*, Publicacions de l'Abadia de Montserrat, Barcelona, I, 1989, pp. 359-374; «Tipologia dels adverbis: Els anomenats adverbis oracionals», *ELLC*, XIX (1989), pp. 21-49; «Negation in Catalan. Some remarks with regard to *no pas*», *CatWPL*, 1 (1991), pp. 33-63; «On expletive negation. Some remarks with regard to Catalan», *Linguisticae Investigationes* (París), 15.1 (1991), pp. 41-65; «The interpretation of *no pas* in Catalan», *Journal of Pragmatics*, 19 (1993), pp. 5-21; «La representació lògica de la negació expletiva», dins Viana (1993), pp. 103-123; «Two squibs on modality and negation», *CatWPL*, 3.1 (1993), pp. 113-138 (aplicat al català).

Ferran Fabregat i Cosme: «L'origen de la perífrasi catalana de perfet dins el marc general de l'evolució de la perífrasi *anar* + *infinitiu.* Un exemple d'explicació del canvi lingüístic des del punt de vista cognitiu», *Actas del VIII Congreso de Lenguajes Naturales y Lenguajes Formales,* PPU, Barcelona 1992, pp. 305-311.

Johan Falk: *«Ser» y «estar» con atributos adjetivales. Aportacio-*

nes sobre el empleo de la cópula en catalán y en castellano, vol. 1, Almqvist & Wiksell, Uppsala 1979.

Neus Farràs i Carme Garcia: *Morfosintaxi comparada del català i el castellà*, Empúries, Barcelona 1993.

Gabriel Ferrater: *Sobre el llenguatge*, Quaderns Crema, Barcelona 1981; sobre aquest autor, vegeu Mascaró 1984.

Isabel García Izquierdo: «Breu anàlisi de l'el·lipsi en la coordinació disjuntiva: estudi contrastiu català-castellà», *Actes* Alacant (1993), III, pp. 257-267.

Narcís Garolera: «Una qüestió d'ordre: la disposició dels elements en l'oració», *Els Marges*, 18-19 (1980), pp. 19-37.

Pacià Garriga: *El català sense «lo» neutre*, Barcino, Barcelona 1969.

Anna Gavarró: «Empty objects in Catalan», *CatWPL*, 2 (1992), pp. 145-161; «Sobre alguns compostos adjectivals del català», *ELLC,* XXIV (1992), pp. 279-291.

Lluïsa Gràcia i Solé: «Sobre el paper temàtic dels subjectes d'alguns verbs d'acció», *Els Marges*, 37 (1987), pp. 91-97; *Els verbs ergatius en català*, Institut Menorquí d'Estudis / Ajuntament de Ciutadella de Menorca, Maó 1989; *La teoria temàtica*, Universitat Autònoma de Barcelona, Bellaterra 1989 (amb informació important per al català); «*-ble* adjectives and middle constructions: a problem for inheritance», *CatWPL*, 2 (1992), pp. 163-182 (aplicat al català).

Carlos Hernández: *L'oració simple*, Universitat de València, València 1989.

M. Lluïsa Hernanz: «Oració i fragments: vers una definició conjunta», *Els Marges*, 13 (1978), pp. 88-102; «Oració i fragments: solució transformacional o interpretativa?», *Els Marges*, 15 (1979), pp. 81-93.

M. Lluïsa Hernanz i Gemma Rigau: «Auxiliaritat i reestructuració», *Els Marges*, 31 (1984), pp. 29-51 (sobre verbs modals i aspectuals).

Paul Hirschbühler i María-Luisa Rivero: «Non-matching concealed questions in Catalan and Spanish and the Projection Principle», *The Linguistic Review* (Amsterdam), 2.4 (1982), pp. 331-363 (ara: «Non-matching concealed questions in Catalan and the Projection Principle», *CatWPL*, 0, 1984, pp. 169-196).

José Ignacio Hualde: *Catalan*, Routledge, London 1992: important però molt desigual intent de descripció de la gramàtica.

Rolf Kailuweit: «Das Akzeptabilitätskriterium in der Syntaxforschung: Erfahrungen mit dem Katalanischen», *Katalanische Studien* (Frankfurt amb Main), 4 (1994), pp. 125-141.

Brenda Laca: «Notes per a un estudi del pleonasme pronominal en català», *ELLC*, XIII (1986), pp. 65-88; «Acerca de la sintaxis del *de* "partitivo" en catalán», *Romanistisches Jahrbuch*, 40 (1989 [1990]), pp. 247-264.

Robert Lafont: «Reflexions sobre lo perfach perifrastic amb *anar* en catalan e en occitan», *ER*, XII (1963-1968 [1970]), pp. 271-277.

Xavier Lamuela: *Català, occità, friülà: llengües subordinades i planificació lingüística*, Quaderns Crema, Barcelona 1987. (Interessen diversos treballs, per ex., «Fixació i funcionament de la gramàtica normativa en el procés d'estandardització de la llengua catalana», publicat abans a *Actes* Normativa, I, 1984, pp. 65-90.)

Xavier Lamuela i Josep Murgades (1984) fan un valuós estudi, el primer, del marc teòric de Fabra.

Conxita Lleó: «Mots suposadament negatius: necessitat d'un tractament semàntico-pragmàtic», *EUC*, XXV (1983), pp. 295-330.

Mireia Llinàs i Grau: «The *affix-like* status of certain verbal elements», *CatWPL*, 1 (1991), pp. 129-147 (sobre seqüències verbals).

Lluís López del Castillo: *Llengua standard i nivells de llenguatge*, Laia, Barcelona 1976.

Ángel López García: «El pretérito perifrástico catalán y la teoría de las perífrasis románicas», dins *Homenaje a Samuel Gili Gaya (in memoriam)*, Biblograf, Barcelona 1979, pp. 129-137.

Jens Lüdtke: «Les exclamatives en Catalan», *Romanica Gandensia* (Gant), XX (1983), pp. 57-67.

Yakov Malkiel: «Catalan *per a*, ancien espagnol *pora*, ancien portugais *pera* 'pour'», *EUC*, XXIV (1980), pp. 299-314.

Sebastià Mariner: «*Vagi + infinitiu* en el sistema modal, temporal i aspectual», dins Ferrando (1992), II, pp. 337-349; «Si que... (≠ sí que...), sorpresivo-encarecedor en catalán», dins *Estudios ofrecidos a Emilio Alarcos Llorach*, IV, Universidad de Oviedo 1979, pp. 167-179; *Estudis estructurals de català*, Edicions 62, Barcelona 1975.

Sílvia Martí: «El sintagma nominal: aspectes del seu funcionament intern», dins Viana (1993), pp. 175-196.

Joan Mascaró: *Morfologia*, Enciclopèdia Catalana, Barcelona 1986: primera descripció moderna d'aquesta part de la llengua.

Manuel Miquel i Planas va publicar nombrosos articles al *Butlletí dels Seminaris d'Ensenyament de Català* (Barcelona) entre 1968 i 1980.

Josep Mir i Tomàs: «Revisió a la pronominalització atributiva i predicativa de la llengua catalana», *Sintagma* (Universitat de Lleida), 2 (1990), pp. 5-18.

Maurice Molho: «L'aorist perifràstic català», *Actes* Amsterdam (1976), pp. 67-100.

M. de Montoliu: «Notes sobre el perfet perifràstic català», *Estudis Romànics (Llengua i literatura)* (Barcelona), 1 (1916), pp. 72-83.

Brauli Montoya Abad: «La flexió verbal catalana. Una proposta de descripció pandialectal», *Sintagma* (Universitat de Lleida), 1 (1989), pp. 5-14.

Ricard Morant i E. N. Serra: *Els modificadors intraoracionals i interoracionals*, Universitat de València, València 1987.

Josep M. Nadal i Farreras: «Semàntica i sintaxi (Aspectes de la complementació en català)», *Els Marges*, 3 (1975), pp. 7-38; «La noció d'"Illa transparent": defensa de les regles transderivacionals», *Els Marges*, 11 (1977), pp. 31-49 (interès per a les oracions compostes).

Salvador Oliva: «Tipologia dels verbs pronominals», *Estudi General* (Girona), 8 (1988), pp. 31-49; «El complement indirecte i altres datius», *Revista de Catalunya*, 36 (1989), pp. 131-144.

Maria del Carme Oriol: «Interferències en l'ús de les preposicions *a*, *en* i *amb*», *Escola Catalana* (Barcelona), 301 (juny 1993), pp. 6-10; 302 (jul.-set. 1993), pp. 6-8.

Ferran Palau i Martí: *El problema de les preposicions «per» i «per a»*, Barcino, Barcelona 1986.

Joan Perera i Parramon: «Contribució a l'estudi de les preposicions en el *Tirant lo Blanch*», *LL*, 1 (1986), pp. 51-109; 2 (1987), pp. 19-66.

Manuel Pérez Saldanya: *Els sistemes modals d'indicatiu i de subjuntiu,* Institut de Filologia Valenciana / Publicacions de l'Abadia de Montserrat, Barcelona 1988; «La categoria gramatical del temps i les relacions deíctiques i anafòriques», *Caplletra*, 8 (1990), pp. 117-129; «Notes sobre la categoria gramatical del temps», *Miscel·lània Joan Fuster*, IV, Publicacions de l'Abadia de Montserrat, Barcelona 1991, pp. 425-436; «Les categories flexives del temps i l'aspecte. Una aproximació sintàctica, semàntica i morfològica», dins Viana (1993), pp. 197-214.

Manuel Pérez Saldanya i Manuel Prunyonosa: *Elements per a una sintaxi liminar del català*, Eliseu Climent, València 1987: primera descripció amb el mètode esmentat.

M. Carme Picallo: «Possessive pronouns in Catalan and the Avoid Pronoun Principle», *CatWPL*, 1 (1991), pp. 211-134; «El contingut lèxic del pronom nul», dins Viana (1993), pp. 215-229.

Lluís B. Polanco i Roig: «La normativa al País Valencià. Problemàtica i perspectives», *Actes* Normativa, I (1984), pp. 107-146; «Elements per a una proposta morfosintàctica», dins Ferrando (1990), pp. 65-100.

Josep Quer: «Estructures dislocades i quantificadors», *LL*, 5 (1992-1993), pp. 393-415.

Joan Rafael Ramos: *Introducció a la sintaxi. Anàlisi categorial i funcional de l'oració simple*, Tàndem, València 1992.

Gemma Rigau: «Anem o venim?», *Els Marges*, 8 (1976), pp. 33-53; «*Hi*, datiu inanimat», *Els Marges*, 12 (1978), pp. 99-102; «Entorn de la naturalesa anafòrica dels pronoms personals en català», *Els Marges*, 16 (1979), pp. 93-98; *Gramàtica del discurs*, Universitat Autònoma de Barcelona, Bellaterra 1981; «De com *si* no és conjunció i d'altres elements interrogatius», *CatWPL*, 0 (1984), pp. 249-278; «Some remarks on the nature of strong pronouns in null-subject languages», dins Ivonne Bordelois / Heles Contreras / Karen Zagona (eds.), *Generative Studies in Spanish Syntax*, Foris, Dordrecht 1986, pp. 143-163; «Sobre el carácter cuantificador de los pronombres tónicos en catalán», dins Violeta Demonte i M. Fernández Lagunilla (eds.), *Sintaxis de las lenguas románicas*, El Arquero, Madrid 1987, pp. 390-407; «Els predicats no verbals i l'efecte d'inespecificitat», *Estudi General* (Girona), 8 (1988), pp. 51-64; «Strong pronous», *Linguistic Inquiry*, 19.3 (1988), pp. 503-511; «Prédication holistique et sujet nul», *RLaR*, XCIII (1989), pp. 201-222 (sobre complements comitatius i oracions amb subjecte coordinat); «Connexity Stablished by Emphatic Pronouns», dins Maria Elisabeth Conte / János S. Petöfi / Emel Sözer (eds.), *Text and Discourse Connectedness,* John Benjamins, Amsterdam 1989, pp. 191-205; «Les propietats d'*agradar:* estructura temàtica i component sintàctic», *Caplletra*, 8 (1990), pp. 7-19; «On the functional properties of AGR», *CatWPL*, 1 (1991), pp. 235-260; «Aspects of Catalan Dialectal Syntax: Unaccusative Sentences and Related Structures», *The Journal of Hispanic Research* (Londres), II, 2 (1992-1993), pp. 315-329; «La legitimació de les construccions temporals d'infinitiu», dins Viana (1993), pp. 231-252.

Gemma Rigau i M. Teresa Cabré, *Lexicologia i semàntica*, Enciclopèdia Catalana, Barcelona 1986: primera descripció moderna d'aquest sector de la llengua.

Timo Riiho: *«Por» y «para». Estudio sobre los orígenes y la evolución de una oposición prepositiva iberorrománica,* Societas Scienciarum Fennica, Helsinki 1979.

Francesc Roca: «Object clitics in Spanish and Catalan», *CatWPL*, 2 (1992), pp. 245-280.

Josep Roca i Pons: «*Estar* + participi, adjectiu o complement preposicional en català antic», *RLaR*, 72 (1955), pp. 5-23; «Verbs auxiliars afins a *estar* en català antic», *ER*, VI (1957-1958 [1964]), pp. 165-168; «*Estar* + gerundi en català antic», *ER*, VIII, (1961-1963 [1966]), pp. 189-193; «Les formes subjacents i la morfologia catalana», *Actes* Cambridge (1973), pp. 173-199; «Sobre els verbs copulatius *ésser* i *estar*», *Actes* Washington (1984), pp. 85-101; *Introducció a l'estudi de la llengua catalana*, Vergara, Barcelona 1971.

Vicent Salvador: «Aspectes semàntico-pragmàtics de les condicionals: aplicació a un corpus de proverbis catalans», *Actes du XXe Congrès International de Ling. et Philol., Romanes* (1992), I (1993), pp. 669-682.

Vicent Salvador i Manuel Pérez Saldanya: «Transitivité et interférence linguistique: la construction A + complément d'objet direct en espagnol et en catalan», *Contrastes* (número monogràfic; Nice i València 1993), pp. 39-67.

Pelegrí Sancho Cremades: *Les preposicions en català*, Universitat de València, València 1994.

Abelard Saragossà: «Un intent d'emmarcar l'estudi d'algunes interferències entre el català i el castellà en relació a l'ús del pronom *ell*», *Actes* Alacant, 1993, vol. III, pp. 211-228.

Brigitte Schlieben-Lange: *Okzitanische und katalanische Verbprobleme*, Tübingen 1971.

Mila Segarra: «Reflexions sobre la normativa sintàctica actual», *Actes* Normativa, I (1984), pp. 13-36; *Història de la normativa catalana*, Enciclopèdia Catalana, Barcelona 1985.

Mitja Skubic: «Contribution à la syntaxe du verbe catalan», Linguistica (Lubljiana), XV (1975), pp. 185-196.

Joan Solà: *Estudis de sintaxi catalana*, 2 vols., Edicions 62, Barcelona 1972-1973; *A l'entorn de la llengua*, Laia, Barcelona 1977; «El gerundi: Un assaig», *Anuario de Filología* (Universitat de Barcelona), 3 (1977), pp. 517-560; *Qüestions controvertides de sintaxi catalana*, Edicions 62, Barcelona 1987; *Lingüística i normativa*, Empúries, Barcelona 1990; *La llengua, una convenció dialèctica*, Columna, Barcelona 1993; *Sintaxi normativa: estat de la qüestió*, Empúries, Barcelona 1994 (2a ed., augmentada, 1994).

Jaume Solà i Pujols: «Negació, verb i adverbis: posició relativa en català, francès i anglès», *LL*, 4 (1990-91), pp. 243-264; «Les categories funcionals d'inflexió i el moviment del verb», *Els Marges*, 44 (1991), pp. 69-86.

Júlia Todolí: «Les funcions pronominals en el català del País Valencià», *ELLC*, XXI (1990), pp. 254-261; «Variants dels pronoms febles de 3a persona al País Valencià: regles fonosintàctiques i morfològiques subjacents», *Zeitschrift für Katalanistik*, 5 (1992), pp. 137-160; «Els clítics pronominals de 3a persona a les comarques d'Alacant: interferència lingüística del castella?», *Actes* Alacant (1993), III, pp. 197-210.

Jaume Vallcorba i Rocosa publicà *Els verbs «ésser» i «estar» en català*, Curial, Barcelona 1978, i nombrosos articles al *Butlletí dels Seminaris d'Ensenyament de Català* (Barcelona), entre 1967 i 1972, i en altres llocs.

Enric Vallduví: «Functional load, prosody, and syntax: left-detachment in Catalan and Spanish», *Papers from the 24th Annual Meeting of the Chicago Linguistic Society*, 1988, pp. 391-404; «Sobre el perfet perifràstic català», *Actes* Tampa (1988), pp. 85-98; «L'estructura informacional de l'oració i la dislocació en català», *Actes* Vancouver, 1990, pp. 155-172; «Catalan as VOS: Evidence from Information Packaging», dins J. Ashby et al. (eds.), *Linguistic Perspectives in the Romance Languages*, John Benjamins, Amsterdam 1991; «A preverbal landing site for quantificational operators», *CatWPL*, 2, 1992, pp. 319-343 (aplicat al català); *The Informational Component*, Garland, New York 1992 (reproducció facsímil de la Tesi; amb informació important per al català); «L'embalatge informacional: més enllà del contingut proposicional», dins *Llengua i ensenyament. Actes de les Jornades* (1992), Eumo, Vic 1994, pp. 119-127.

Pere Verdaguer: «El català al Rosselló i la norma», *Actes* Normativa, I (1984), pp. 93-105.

Amadeu Viana: «Algunes construccions d'el·lipsi d'objecte», *ELLC*, XIX (1989), pp. 5-19; «La sintaxi de la conjugació en català», *Caplletra*, 8 (1990), pp. 81-105.

Joaquim Viaplana: «Algunes consideracions sobre les formes pronominals clítiques del barceloní», *Anuario de Filología* (Universitat de Barcelona), 6 (1980), pp. 459-483; *Elements per a una gramàtica generativa del català. Relativització i temes annexos*, Edicions 62, Barcelona 1981; «La flexió verbal regular del valencià», dins Ferrando (1992), III, pp. 382-423 (primera versió, de 1984); «Morfologia flexiva i flexió verbal catalana», *LL*, 1 (1986), pp. 385-403.

Carme Vilà: *Sintaxi bàsica del català*, Barcanova, Barcelona 1990.

Xavier Villalba: «Case, incorporation, and economy: an approach to causative constructions», *CatWPL*, 2 (1992), pp. 345-389 (amb informació en català); «Clitic Climbing in Causative Constructions», *CatWPL*, 3.2 (1994), pp. 123-152.

Max W. Wheeler: «Analogia i psicologia: el desenvolupament de la morfologia verbal balear», *Actes* del XVI Congrés Internacional de Lingüística i Filologia Romàniques (1980), vol. II, Moll, Mallorca 1985, pp. 557-566; «La conjugació valenciana: geografia, diacronia i psicologia», dins Ferrando (1992), III, pp. 382-423 (primera versió, de 1984); «Dels quantitatius i altres elements especificadors», *Els Marges*, 43 (1991), pp. 25-49.

5.3 No inclouré tampoc aquí gramàtiques o manuals escolars recents, integrats en el sistema educatiu o no. Entre els primers n'hauríem d'esmentar diversos dels que avui s'usen com a text en els darrers anys de l'educació secundària; entre els segons caldria recordar noms com **Joaquim Rafel** o **Joan Martí.** Però considero que tot aquest material ja no forma part de la línia que ha contribuït a fixar els usos i les rutines més importants. Darrerament ha aparegut al mercat el llibre *Alfa* [*Mètode d'autocorrecció gramatical assistida*] (Universitat de les Illes Balears, Palma 1994), de **Jaume Morey**, **Joan Melià** i **Jaume Corbera**, mètode original de suport a l'ensenyament: la matèria hi està distribuïda en forma de temes o fitxes numerades, i el professor que corregeix una redacció, en teoria posa el numeret corresponent damunt cada falta observada; l'alumne mira el llibre per veure de què es tracta i així va assimilant la matèria segons les seves pròpies necessitats. Però, sota aquesta aparença escolar, el llibre aprofundeix aquí i allà en diversos aspectes, de vegades amb prou generositat, de manera que representa la primera i única temptativa feta a les Balears d'augmentar el coneixement gramatical general o específic de les Illes.

II PART

LEXICOGRAFIA

1. INTRODUCCIÓ

1.1 Com en gramatografia, en lexicografia la cultura catalana és contradictòria però digna d'atenció: per una banda, aquesta cultura manifesta una vitalitat política i social vacil·lant, sovint fins i tot molt feble o inexistent; i per una altra banda, hi ha moments històrics, com l'actual, en què manifesta una vitalitat científica respectable. Fins a finals del segle XIX l'estudi científic del lèxic català gairebé no existí, com passava en gramàtica: la nostra llengua estava a punt de convertir-se en un patuès, i aleshores ja n'hauria tingut prou produint, durant uns quants anys més, vocabularis bilingües d'aquella mena que no són útils a ningú ni, en realitat, serveixen per a res. De fet, el català no ha tingut un «diccionari» independent, monolingüe i amb caràcter nacional fins a Fabra (*DGLC*, 1932). Avui la situació internacional de les llengües petites i sense Estat torna a ser extremament greu i no és fàcil de preveure quant de temps més podran resistir la pressió de les llengües fortes, pressió que s'exerceix de manera especialment espectacular en el lèxic.

1.2 Les principals etapes en què podem dividir la lexicografia catalana són les següents:

a) Època medieval: aproximadament és com la d'altres llengües romàniques, amb vocabularis i altres materials destinats a l'ensenyament del llatí.

b) Renaixement i èpoques posteriors, on trobem obres de la mateixa naturalesa i on, diferentment d'altres cultures, no hi ha altre tipus de lexicografia (més pròpiament centrada en el català), llevat de vocabularis i glossaris per interpretar obres catalanes més antigues.

c) Segle XIX: es produeix la primera reacció més o menys considerable, però encara amb una forta dependència o al servei d'una altra llengua, el llatí i/o el castellà; època de força desorientació pel que fa als criteris i la finalitat de la producció lexicogràfica.

d) Segle XX: es manté en part la línia divulgadora, imitativa i poc o gens crítica, però d'altra banda es confecciona finalment i amb criteris acceptables el diccionari normatiu (*DGLC*), al mateix temps que s'emprenen grans obres (v. capítol 8) que situen el català a l'altura científica de llengües «normals» encara que la salut social de la llengua no es pot dir pas que hagi millorat gaire; darrerament l'eufòria, almenys editorial, ha crescut qui-sap-lo pel fet que la llengua ha tingut entrada a l'escola; i, en fi, també diversos projectes científics d'envergadura (v. § 10.1) permeten d'atiar l'esperança.

En aquest treball no ens ocupem, tret d'algunes excepcions, dels treballs d'onomàstica, d'etimologia, de dialectologia ni d'altres de molt específics (botànica, zoologia, etc.), i només molt breument de treballs de terminologia.

2. OBRES PER A L'ENSENYAMENT DEL LLATÍ

2.1 Fins a la fi del s. XVII gairebé tota la lexicografia catalana està al servei de l'ensenyament del llatí. En una cultura normal, una bona part d'aquest material seria secundari com a molt, però la cultura catalana ha de rescatar-lo i valorar-lo perquè és tot el que té d'aquestes èpoques i perquè, sortosament, també és cert que alguna peça és important per ella mateixa, a part de ser venerable per la seva antiguitat.

Val la pena de deixar constància aquí de l'opinió que Polanco (1994) expressa sobre tot el material de què ens ocuparem. En primer lloc, sobre la precarietat del coneixement que tenim de la filologia catalana (llatina) en aquests temps:

> Possiblement, un dels aspectes menys atesos en els estudis dedicats a l'evolució de l'*humanisme*, i en general de tot el Renaixement, a les terres de llengua catalana ha estat justament el seu vessant 'filològic', i més en concret el 'gramatical' (Polanco 1994, p. 135).

I en segon lloc, sobre el paper imitatiu, i no original, que els nostres «filòlegs» tingueren (cosa que ha d'ajudar a fer-nos repensar a consciència tota la qüestió del nostre humanisme i del nostre renaixement):

> La cultura en llengua catalana, i l'*humanisme* que s'hi pot relacionar semblen haver arrossegat aquest estat de coses durant més temps. Per exemple, la tendència a dependre de traduccions o adaptacions encobertes d'altres llengües vulgars, en comptes de connectar directament amb les obres llatines originals, es pot constatar en diverses altres produccions del Renaixement (Polanco 1994, p. 167).

Per il·lustrar aquesta afirmació, addueix, per a l'època de l'humanisme, l'obra de Joan Esteve (v. § 2.5), i, per al renaixement, diverses altres: per exemple, les de Jeroni Amiguet (v. § 2.6), Miquel Agustí (v. § 2.13) i Palmireno (v. § 2.14).

Els glossaris medievals

2.2 Incloem en aquest epígraf les pròpiament conegudes com a «glosses» (aclariments de termes llatins d'obres diverses a base de sinònims o de paràfrasis, en llatí més familiar o en romànic), altres materials d'intenció ja més pròpiament lexicogràfica o gramatical i alguns que no afecten pròpiament l'ensenyament del llatí o ni tan sols aquesta llengua. Els glossaris i els vocabularis més antics es troben entre els fons, molt rics, de l'antic monestir de Ripoll (del qual es conserven més de 200 manuscrits, que contenen més de 1000 còpies de textos des del s. IX fins al XVIII, en les quals destaca la riquesa de material lexicogràfic i sobretot gramatical) i en altres arxius que esmentarem. Una part petita d'aquest material s'editàfa molts anys, una altra part ha estat editada per erudits moderns i la part més gran encara és inèdita. Donada l'antiguitat d'algunes peces, es comprèn la importància que tindria per a la lexicografia catalana (i per a la relació entre la catalana i l'occitana) que se'n fes una edició crítica i s'aprofités en repertoris històrics: ja veurem que molts lexemes d'aquesta procedència no consten en els esmentats repertoris o hi consten amb data (molt) més recent. Prescindirem dels glossaris i els vocabularis que no afecten pròpiament el català, sinó el llatí, el grec o l'hebreu, tot i que a les glosses llatines apunta alguna vegada el terme català (com a *sulcos - rigas*, cat. *solc*). (Per a més detalls, vegeu C-S, pp. 11-20, 23-36.)

Entre les glosses específicament catalanes esmentarem (seguint C-S, cap. 1) les d'un *Lectionarium Missae*, dels volts del 1200, que es troba al ms. 838 de la Biblioteca de Montserrat (editades recentment), i d'altres que es troben en manuscrits hebreus de l'any 1300 aproximadament. Els vocabularis estan més ben representats: el ms. 139 de Ripoll (final del s. XIV) conté prop de 300 lexemes llatins, la majoria adverbis, que estan explicats, per bé que no sempre, en llatí o català (editats fa trenta-set anys); el ms. 1276 de la Biblioteca de Catalunya (primera meitat del s. XV) conté un altre vocabulari d'adverbis llatí-català d'uns 370 lexemes, no tots traduïts (n'hi ha una edició poc fiable). Modest Prats (1988) en publica un altre de 384 entrades, de principis del segle XV, existent a l'Arxiu Diocesà de Girona; i Marco Piccat (1988) en dóna a conèixer un altre. Al costat dels vocabularis d'adverbis són més abundants encara les llistes de verbs, soltes o en gramàtiques: entre les primeres hi ha la del ms. 769 de la Biblioteca de Catalunya (s. XIV-XV), molt extensa i important. Hi ha d'altres vocabularis en còdexs hebraics més o menys accessibles: el 368 de l'antiga col·lecció Sassoon (1366-1382), que en conté un de bíblic hebreu-català, força extens (avui inaccessible); n'hi ha dos més de farmacològics, en àrab, llatí i català, dels segles XIV-XV, un a la Biblioteca Universitària de Jerusalem (gairebé desconegut) i un altre a la Biblioteca Vaticana (publicat).

2.3 Finalment (i seguint C-S, cap. 3), hi ha una àmplia representació de tractats gramaticals de tradició antiga, dels segles XIV-XVI, la majoria inèdits, que, a part de l'interès que tenen per a la història de la gramàtica, contenen glosses interlineals o exemples en llatí i català, o llistes de verbs traduïts o una combinació d'aquestes possibilitats. El ms. 8950 de la Biblioteca Nacional de Madrid és una *Grammatica proverbiandi* acabada a València el 1427, que conté diverses de les esmentades llistes; són del mateix estil el ms. 43 de la Biblioteca Pública de Tarragona (final del s. XIV) i la *Summa artis grammaticae* del ms. 192 de la Biblioteca Capitular de Vic (primera meitat del s. XV). Uns altres dos manuscrits, de la darreria del s. XIV o de principis del XV, contenen una barreja de vocables catalans i aragonesos: el ms. XXX C 14 de la Biblioteca Episcopal de Klagenfurt (Àustria) i el Cod. Hisp. 63 de la Bayerische Staatsbibliothek de Munic (estudiat per J. Saroïhandy el 1907). Entre les obres gramaticals d'aquesta mena que veieren la impremta esmentarem les següents: l'*Opusculum grammatices* de Joannes Sulpicius Verulanus (Pere Miquel, Barcelona 1491), on l'anònim traductor va deixar moltes equivalències en italià; el *Libellus pro efficiendis orationibus* (Joan Gherlinc, Barcelona datat el 1468, però que potser és del 1488; n'hi ha una altra edició de 1506-1510 aprox.) i els *Principia artis grammatices ad proverbiandum perutilia* (Barcelona 1501 i 1503) de Bartomeu Mates; el *Thesaurus constructionis* d'Antonio Mancinelli (Joan Rosenbach, Perpinyà 1501), i els *Rudimenta artis grammatice* de Bernat Vilanova (Nicolau Spindeler, València 1500).

2.4 Vegem una mostra de paraules del material esmentat. No consten al *DCVB* ni al *DECat* veus com *aüyar* OCULO, *bolba* 'matriu', *calamerçar* 'pedregar', *devedar* 'prohibir', *engranair* NAGNIFICO, *justiugar* 'justificar', *mandretament* DEXTERE o l'expressió *a no mi guart* INOPINATE. Consten en un dels dos repertoris o en tots dos, però documentades amb aquests mateixos textos o amb altres que no són més antics: *albixerar* 'anunciar (bones) noves', *enbrivament* 'intrepidesa', *escomenegats* 'excomunicats', *mercenejar* 'tenir pietat' i les expressions *a peu cloch* 'coixejant' PEDETENTIM, «caure *de bocadens*» 'de bocaterrosa' OREPENDENTIM. Estan recollides amb documentació més moderna a les obres esmentades (la indiquem en alguna ocasió): *cohardar* (és a dir, *cardar*) (s. XX), *depús demà* 'demà passat', *engolayr* 'empassar-se' INGUTERO (s. XIX), *sbabrar* (és a dir, *esbravar*), *scloayar* (és a dir, *esclovellar*) ENUCLEO (s. XIX), *trassar* 'seguir el rastre' (s. XX), *unament* PARITER. Finalment, C-S criden l'atenció sobre certes derivacions com *entristairse* MEREO o *inuerdirse* VIREO. (Vegeu ara Martínez Gázquez 1989.)

El primer «diccionari» i altres «elegàncies»

2.5 L'any 1489 Paganinus de Paganinis publicava a Venècia l'obra del notari valencià **Joan Esteve** (s. XV) titulada *Liber elegantiarum*, de la qual es conserven almenys vuit exemplars i que avui coneixem força bé gràcies als treballs de Moll (els essencials, recollits al seu llibre del 1982), Gulsoy (1964*b*), Colon-Soberanas (1986), Colon (1988) i Polanco (1994), als quals ens remetem per a detalls i dels quals ens valdrem sense altra indicació (si no els citem explícitament).

Ara disposem de dues edicions facsímils de l'obra, la que prologa Colon (1988) i la que proporciona l'empresa University Microfilms (Ann Arbor/Londres, sense any). Polanco (1994) n'anuncia l'edició crítica, acompanyada d'un estudi minuciós. Es tracta d'un extens diccionari-frasari català-llatí destinat a ensenyar un llatí variat i elegant, a l'estil d'altres obres renaixentistes del moment. «Probablement és el *diccionari* més antic d'una llengua neollatina» (Moll 1982, p. 247) i sens dubte la primera obra «que, superant els simples glossaris i les llistes d'equivalències, duu, amb una certa "tècnica lexicogràfica", mots i frases catalans acompanyats de la correspondència llatina» (C-S, pp. 44-45): conté (fins i tot per al català) frases, sinònims i explicacions diverses, però tot molt desordenat i irregular; característiques (avui en diríem defectes) que comparteix amb altres obres similars, com l'*Universal vocabulario en latín y en romance* d'Alonso Fernández de Palencia (Sevilla 1490), i que explicarem breument. De fet,

> el *Liber* no és –ni pretén ser-ho– una obra lexicogràfica *del català* [...]. Mirat des de la perspectiva dels *Rudimenta grammatices* de Nicolò Perotti, el *Liber* es pot percebre com una nova forma de presentar els mateixos continguts gramaticals i retòrics, és a dir, com una gramàtica, o una retòrica, amb ordenació alfabètica. Per tant, amb trets i funcions bastant allunyats, almenys en part, dels de la tradició més estrictament lexicogràfica (Polanco 1994, pp. 137, 165).

El contingut gramatical i retòric esmentat comprèn qüestions semàntiques, sintàctiques (les més importants), gràfiques i morfològiques, referides al llatí. Però, per al nostre estudi, és prou clar que l'obra té interès principalment lexicogràfic.

El llibre pren la inspiració, la forma i pràcticament tota la matèria d'obres similars de l'humanisme sobretot italià: cal esmentar com a més importants les *Elegantiae* (1471) de Lorenzo della Valle (en què, a més, s'inspira el títol de la nostra), el *Facetiarum liber* (1471?) de Giambattista Poggio Bracciolini (d'on recull moltíssims passatges) i especialment els *Rudimenta grammatices* (1473) de Nicolò Perotti, obra de gran èxit en el seu temps: se'n coneixen unes seixanta edicions incunables i s'editià a les terres catalanes (amb el text italià sense traduir) ja als anys 1475 (Barcelona) i 1477 (Tortosa). Els aspectes que avui consideraríem negatius (un cert desordre, el fet de no ser sistemàtic ni exhaustiu en els temes que aborda de gramàtica i retòrica, l'ordenació escassament alfabètica, la manca d'un índex de paraules, etc.) són comuns a la tradició, com hem dit. De Perotti recull la nostra obra, pràcticament al peu de la lletra, una gran quantitat de material, tant de text com d'explicacions (i d'aquí li vénen nombrosos italianismes) però sobretot l'aspecte en què es pot dir que hi ha una certa originalitat (que Esteve accentua): la llengua romànica adquireix un protagonisme inusual fins aleshores en aquesta mena de textos: precedeix sistemàticament la llatina i és usada també en explicacions internes dels articles.

Els articles són paraules o bé frases senceres, i fins hi ha llargs paràgrafs, tot en un ordre escassament «semialfabètic» que només respecta les dues primeres lletres (i de vegades només la primera) de la seqüència. I així, hi ha 150 frases que comencen amb el pronom *Tu*, una gran quantitat amb l'article *Lo* o amb la preposició *Ab*, més de 612 articles començats amb *Yo* (30 pàgines en foli a tres columnes), etc., que poden ser d'aquest estil: «Yo tenia una moça de solda de bones gents per nom antonia e aquella de molta vergonya aquesta hauia lexat en la barcha ensemps ab maria dida tua que per vn poch de temps guardassen la roba nostra mentres que logassem casa» (f. t7r). Pel caràcter de l'obra i per les circumstàncies d'impressió (feta a Itàlia), no és cap sorpresa que hi faltin d'un trenta a un cinquanta per cent dels mots catalans usuals a l'època; o que molts hi figurin en diversos llocs amb significats i fins amb grafies diferents; o que hi hagi moltíssims errors materials (característica també habitual en material escolar de tots aquests segles), italianismes i llatinismes: aquests últims són segurament deguts al probable costum (en aquests textos escolars) de traduir primer el llatí al romanç per aconseguir que aquest evoqués aquell, que li fos paral·lel, que es pogués retrotraduir fàcilment; i aquesta circumstància condueix a un aspecte que un dia s'haurà d'explorar: si nosaltres veiem possibles italianismes en el text català, l'original italià és tan pròxim al llatí que tot plegat fa pensar en un fons lingüístic que avui qualificaríem de tèrbol i poc fiable.

El nostre llibre té interès per a la dialectologia (conté trets clarament valencians) i sobretot per a la lexicografia estricta: hi trobem hàpaxs de forma («fer *ayguatoldre*» 'defecar', *enamigada* 'que té amics/amants', *gelateria, ocolí* 'pollet d'oca') o de significat (*afaitar* 'maquillar', *almon* 'de cap manera', *mongeta* 'orinal', *redó del genoll* 'ròtula'), primeres documentacions de la forma (*assoldidat* MERCENARIUS, *coet, cós/ cossa* 'correguda', *de bon seny* 'de veres', *tóxec* 'verí', *voltejador* 'equilibrista') o del significat (*barba* 'mentó', *desbaratat* 'pertorbat mentalment o moralment', *gros* 'crescut (aplicat a un riu, etc.)').

Però els llibres d'aquesta mena tenen també interès extralingüístic. Per exemple, la frase «Los q[ui] venen peix cuyt ab salsa o carn cuyta axi com al mal cuynat - *Letarii, Lupedinarii*» ens informa sobre la vida diària dels mercats. I coneixem detalls de la vida de l'escola a través de frases com aquesta d'un mestre: «Per la primera volta que nengú de mos scolans se partiran sense licència mia yo·ls daré una palmada, la segona volta yo l'açotaré tot nuu» (pres de Polanco 1994, p. 160).

2.6 El frasari de Stephanus Fliscus (Stefano Fieschi) esmentat fou adaptat al català amb el títol *Sinonima variationum sententiarum* (Cristòfol Coffman, València 1502) i amb un índex de paraules catalanes al final, pel metge tortosí i professor d'humanitats **Jeroni Amiguet** (s. XVI), el qual escrigué també una *Introductio ad artem grammaticam* (Carles Amorós, Barcelona 1514) en la línia de Nebrija, amb un vocabulari final que ofereix variants tortosino-valencianes respecte a les adaptacions de l'obra de Nebrija (v. § 2.8).

2.7 En català trobem altres obres similars. La més notable és la següent: «*Las elegancias* de Paulo Manucio. Traduhidas de llengua Toscana per Ioan Llorens Palmyreno... Y ara novament traduidas en nostra llengua Catalana per lo R. P. Fr. **Ioan Baptista Bonet**...» (Barcelona 1679), plagi servil del model castellà (la primera edició del qual és de València, 1573), en un català absolutament descuidat, farcit de castellanismes i d'errors materials, com era habitual en obres d'aquesta mena (escolars). Hi ha un índex que recull els vocables i les frases dels marges del llibre i d'altres, en castellà (procedent del model traduït) o català, de la forma següent: *«Alegre cara, vide Acoger, o rebrer»* (però *acoger* no figura a l'obra), *«Acordarse, vide Agrahir»*, *«Al revès me saliò, vide Errar»*, *«Comer, ò menjar»*, *«Hablar, ò parlar en lo Senàt»*, *«Hazer, ò fer algun servey»*, *«Rostro, ò cara»* (vegeu altres detalls a Solà 1991).

Ja anirem veient que aquestes obres i les gramàtiques llatines contemporànies són molt poc fiables pel lèxic i la construcció, però una llengua que té tan poc material històric no pot deixar d'explorar-les. Tanmateix, els nostres repertoris històrics no n'han aprofitat gairebé cap i ni les han esmentat els historiadors del lèxic, en general: en aquesta situació es troben la que ens ocupa i les que veurem als §§ 2.10-11 i 2.16-19. A *Las elegancias* trobem, per exemple, un *engordir* 'engreixar' anterior als que enregistren el *DCVB* i el *DECat;* el castellanisme *acontendrer* 'esdevenir', curiós per la forma (després serà *acontèixer*), no consta en el primer, etc.

Les adaptacions de les obres de Nebrija

2.8 Les adaptacions catalanes de la gramàtica i els diccionaris de Nebrija han estat estudiades detalladament per Soberanas (1977) i per Colon i Soberanas (1986 i 1987). Les *Introductiones latinae* d'Elio Antonio de Nebrija (Salamanca 1481) es van adaptar al català, ja l'any 1497, a partir de la «recognitio» del 1495, amb els vocabularis llatino-castellans encara no traduïts: es van traduir probablement el 1500 i el 1501 (edicions perduda i mutilada, respectivament) i amb seguretat en les dues edicions del 1505 (Joan Luschner i Nicolau Spindeler, Barcelona), a les quals van seguir gairebé un centenar i mig d'edicions, adaptacions i imitacions, en català o castellà, fins al segle XIX (vegeu Marcet-Solà). Aquelles primeres edicions porten glosses interlineals i, com l'original, llistes de paraules ordenades per grups lògics i un vocabulari final (que no recull exhaustivament el material del cos de l'obra): en conjunt, pel que diuen C-S (pp. 62-65), aquesta obra no està exempta d'algun dels problemes que hem vist a la de Palmireno-Bonet (v. § 2.7); el contingut del vocabulari és gairebé idèntic en aquelles dues impressions i en alguna altra de les primeres, però hi ha alguna variant entre el vocabulari i el cos del llibre. Aquesta obra tampoc no ha estat aprofitada en els repertoris històrics. A l'edició de Lió del 1508 (foli d5) trobem *pubes* traduït per «lo que comenza a *barbar*» (C-S 1987, p. 17), lexema que no està documentat als nostres repertoris fins al segle XIX. Tampoc no està documentada la forma *morisc* de l'edició del 1501 (en la qual encara no significa 'moresc' sinó potser 'sèmola o farro'). Tot i que ja no porten vocabulari específic, també les edicions i les adaptacions posteriors poden oferir alguna sorpresa al lexicògraf. Així, a les *Grammaticarum institutionum, Libri Quatuor* (Francisci Guasch, Barcelona 1700), adaptació de Gerard Marcillo, trobem «*Ringor* - rifar *los gossos*» 'grunyir, ensenyant les dents' (p. 303).

2.9 Per a la lexicografia són més importants, però, les traduccions del *Lexicon* llatino-espanyol (Salamanca 1492) i les adaptacions del *Vocabulario* espanyol-llatí (Salamanca, ca. 1495). Disposem de quatre edicions (Soberanas 1977):

a) Barcelona, Carles Amorós, 1507; consta de dues parts: diccionari llatí-català i diccionari català-llatí; els traductors són Gabriel Busa i Joan Garganter. Edició facsímil, Puvill, Barcelona 1987 (v. C-S 1987).

b) Barcelona, Carles Amorós, 1522; conté la matèria anterior i un vocabulari geogràfic; traducció de Joan Morell i Martí Ivarra.

c) Barcelona, Claudi Bornat, 1560; conté la matèria del 1522, un vocabulari de noms propis i un vocabulari mèdic llatí-català; traductors, Antic Roca, Francesc Clusa i Antoni-Llorenç Valentí.

d) Barcelona, Antoni Oliver, 1585; conté un diccionari llatí-català-castellà, un altre de català-llatí-castellà, un vocabulari de noms propis (amb alguna equivalència al català), un altre de geogràfic català-llatí-castellà i un altre de mèdic (amb noms de plantes en grec, llatí, llatí d'apotecari i hebreu, traduïts al català i al castellà), i algun altre detall; traductors, Pau Costa i Antoni-Joan Astor. Hi ha reimpressió, de l'any 1587, de la darrera edició.

Només la descripció del contingut de les edicions donarà idea de la importància de l'obra: observem, per exemple, que el vocabulari mèdic pot tenir un interès semblant al de Laguna (1555) (v. § 2.12), però C-S tan sols n'estudien els dos lèxics fonamentals, especialment a la primera edició (1507). Ens cenyim, doncs, a aquests estudis.

Es tracta del primer gran diccionari, sistemàtic i referit a tota la llengua, sense les limitacions dels vocabularis primitius i les llacunes i el desordre del d'Esteve (1489) (v. § 2.5). El primer traductor va traduir tota la part llatino-castellana, amb tècnica servil (al peu de la lletra) i sense gaires escrúpols (errors abundants, castellanismes, etc.: vegeu C-S 1987, pp. 26-29); la part castellano-llatina requeria una aplicació més personal i per això va quedar més pobra i va passar de forma idèntica a les edicions successives: Colon-Soberanas atribueixen el poc interès dels editors en aquesta part al fet que l'important de l'obra devia ser únicament o primordialment el llatí; tanmateix, aquest argument no és totalment satisfactori, perquè molts altres diccionairs *per a l'ensenyament del llatí* també partien precisament del català (i no del llatí) i no eren pas pobres. Els Nebrijas catalans interessen el lexicògraf modern per les següents raons, a més de les indicades: perquè els nostres diccionaris històrics els han aprofitat poc; perquè la comparació entre les diverses edicions ens proporcionaria «muchas y muy provechosas enseñanzas» (C-S 1987); perquè es poden comparar amb versions contemporànies a altres llengües romàniques (castellà, sicilià i francès) per tenir una idea més exacta de la posició del català entre les llengües romàniques i assabentar-se d'altres detalls com la proporció d'arabismes existents en aquestes llengües; i finalment, per les dades dialectals que se'n puguin extreure.

Pel que fa a les dades amb què el nostre diccionari permet completar els moderns repertoris històrics, n'extraiem uns exemples de Colon-Soberanas 1987: a l'edició del 1507 tenim la primera documentació en qualsevol llengua d'un concepte i un terme molt divulgats, *enemic* 'repèl'; de *guatlla maresa* 'rei de guatlles', Colon i Soberanas dedueixen que *marès* pot no significar, com es creu, 'marítim', sinó 'guia', etc. (de *mare*); *taronja de Xàtiva* (en castellà 'almojava con queso' segons C-S) hi apareix per primera i gairebé única vegada, i aquest és també el cas d'*alandrac* 'àntrax, vesper'. L'edició del 1560 ens avança la data de *perelló* (escrita *paralló*).

Joan Lluís Vives, Erasme i altres autors

2.10 L'humanista **Joan Lluís Vives** (1492-1540) ens interessa pels *Colloquia*, publicats amb diversos títols, primer a Anvers, el 1538; se'n van fer unes 150 edicions, adaptacions o traduccions a diverses llengües (vegeu Palau, núms. 371723-371866). En la versió escolar, portaven sovint aclariments o vocabularis. Almenys unes set edicions del s. XVIII fetes en terres catalanes (de Girona, Vic, Barcelona i Cervera) porten al final un «Index eorum, quae in hoc volumine colloquiorum continentur» en llatí, castellà i català (vegeu Marcet-Solà): la triple correspondència dóna més valor encara al vocabulari.

Citarem l'obra per dues edicions de Girona, *Dialogistica linguae latinae exercitatio* (Jacobi Brò, «Reimprimatur» del 1755, i Narcissi Oliva, potser pels volts del 1781), per neutralitzar els lapsus. No és difícil trobar-hi paraules que no consten al *DCVB* ni al *DECat* (*Abecedaria tabella -la cartilla* - la paleta; *Epixenium - tajon para partir, ó picar carne* - mitja lluna, *ó picador de carn*; *Lupus - pescado sollo – peix dit* sollo; *Plutei - los bancos, ó atriles, ó facistoles* - los banchs; *Scirpus Indicus - junco de que usan los señores, en lugar de baculo - jonc ò* caña india) o que hi tenen documentació posterior (*Acicula - el clavillo de la hevilleta* - pungany *de la civella*; *Ephestris... - muceta de obispo, ó capirote de maestro - muceta de Bisbe, ó* capirot *de Mestre*; *Myxus - la mecha, ó pavilo - la metja, ó* moch) o molt escassa (*Dulciarius pistor - el confitero...*- lo Adroguer; *Thorax - el hueco del cuerpo* - lo tou del cos *del home*); o castellanismes no recollits al *DCVB* (*Cymatium - ... - cobra taula, ó* tapete; *Robulus -...- certa figura, que [...] usaban las* hetchiseras) o poc documentats (*Calculus - el tanto* - el tanto).

2.11 Les nombroses ramificacions que va tenir la sintaxi d'**Erasme** al nostre domini lingüístic (vegeu Marcet-Solà) tenen menys interès lexicogràfic (en general, no contenen vocabularis). A les portades de l'adaptació d'Antoni Genover, *Sensus Erasmiani, sev perbrevis Grammatica...* (Josephum Forcada, Barcelona 1679, etc.), apareix el nom de la llengua receptora en una doble denominació (la segona, no coneguda en altres textos): «... Denuo edita, et *Gotholaunico* elucubrata sermone...» i «...quos *Ausonio* elucidavi sermone ...» («Ausonia» és el nom de la comarca de Vic, *Osona*). (En una de les versions catalanes de la sintaxi de Joan Torrella, v. § 2.10, *Syntaxis, seu compendiaria partium orationis institutio*, Narcis Oliva, Gerona, sense any: deu ser de mitjan s. XVII o de la 2a meitat, hi figura a la portada un altre nom per a la llengua: «Denuò observationibus aucta, & in commodiore[m] usum *Lalaetano* sermone exposita».) Una obreta anònima, *Explicaciò de la construcciò de nom, y verb, i demès parts de Oraciò* (sense lloc i amb «Imprimatur» de 1743; 72 pàgines; degué d'acompanyar-ne una altra de més extensa, per les referències numèriques que conté), acaba amb un breu vocabulari de «Modos de dir» llatí-català, i en el cos de l'obra trobem, per exemple: *«Alligo - Esventarse, ò Iactarse»* (la primera paraula, equivalent a l'actual *vantar-se*, no figura als repertoris; la segona hi figura amb documentació escassa), *«Inscitia - Totxesa»* (no documentada fins al segle XX), *«Numero - Pagar de contants»* (és a dir, «de comptants» 'pagar en efectiu, al comptat', expressió documentada només fins al 1591).

Laguna, Agustí i Palmireno

2.12 L'any 1555 el metge segovià **Andrés de Laguna** va adaptar i anotar la famosa *Materia medica* del metge grec Dioscòrides (s. I): *Acerca de la materia medicinal y de los venenos mortíferos...* (M. Gast, Salamanca; una altra ed., feta per C. E. Dubler sobre la de Salamanca de 1570: Barcelona 1955; una altra, facsímil, en 2 vols. de l'ed. de Salamanca 1566: *Pedacio Dioscórides Anazarbeo*, Instituto de España, Madrid 1968; un nou facsímil: *El Dioscorides de Andrés Laguna*, Secc. Gral. Técnica de la Consejería de Cooperación, Comunidad Autónoma de Madrid, 1991). Laguna dóna els noms en grec, llatí, llatí d'apotecari, àrab, castellà, català, portuguès, italià, francès i alemany, de forma no sistemàtica (hi falta sovint el català, per exemple). Aquesta obra proporciona una bona llista de termes de botànica i mineralogia, alguns dels quals són primeres documentacions (*abre del pi* TEREBINTUS, *capadella* 'barretet') i fou una de les fonts de Palmireno; tanmateix, ni aquell ni aquest no han estat aprofitats en els nostres repertoris històrics. No se sap la font dels termes catalans (no ho són les edicions de Nebrija), que semblen de procedència més aviat meridional. Messner (1993, pp. 113-135) dóna una llista ordenada de paraules que apareixien en aquesta obra, en vuit llengües, inclòs el català.

2.13 Esmentarem aquí la traducció castellana d'un cèlebre llibre d'economia rural de fra **Miquel Agustí** (1560-1630), *Libro de los secretos de agricultura*, editat moltíssimes vegades a partir del 1625 (Saragossa; ed.

facsímil de l'edició de Barcelona 1724: Llibreria Catedral, Tarragona 1980), que conté un «Vocabulario de seis lenguas [castellà, català, llatí, portuguès, italià i francès], en que se declaran los nombres de los arboles, yervas, frutas, y otras cosas, contenidas en el presente Libro», amb uns 260 vocables, molt útil per a la lexicografia contrastiva, que no van aprofitar els lexicògrafs d'aquell segle ni han recollit els repertoris actuals. Vegeu ara fotocopiada aquesta llista per Messner (1993, pp. 86-103). Colon-Soberanas (p. 102) diuen: «No resulta fàcil d'esbrinar on degué informar-se Agustí per compondre aquestes llistes». Messner (1992) afirma que begué en Laguna.

2.14 L'aragonès **Juan Lorenzo Palmireno** (ca. 1524-1579), catedràtic de retòrica i grec a València, publicà tres obres que ens interessen: *Las elegancias* de Manuzio, que després es van adaptar al català (ja vistes al § 2.7); *De vera & facili imitatione Ciceronis* (Pedro Bernuz, Zaragoza 1560), que conté «unos doscientos refranes en castellano y catalán, con su versión latina» (Palau, núm. 210522); i, la més important, el *Vocabulario del humanista* (Pedro de Huete, Valencia 1569; una altra edició, Pedro Malo, Barcelona 1575; n'hi ha facsímil de la primera: F. Domenech, Valencia 1978, del qual ens servim, amb un pròleg d'Andrés Gallego Barnes), obra destinada a enriquir el lèxic de l'estudiant de llatí. L'autor té una «personalitat desordenada i impulsiva» (C-S, p. 89): en efecte, els dos primers «abecedarios», que tracten d'ocells i de peixos, respectivament, presenten una estructura molt rica (vocabulari, frasari i digressions); però els altres tenen una disposició més simple; el 6, de monedes i mesures, ni tan sols està en ordre alfabètic («va [...] mezclado sin orden de letras; y por esso se llama Sylua», p. 2); el 4, «de las dictiones necessarias de entender a los herbolarios», és un apèndix d'una pàgina i mitja del 3 (que tracta d'herbes i altres termes que s'hi relacionen) i només està en llatí, sense traducció, «por que se me haze mayor el libro delo que mi bolsa abasta» (p. H6), una bossa que devia estar escurada després del vocabulari-fascicle 8 («quien tiene familia que sustentar en años tan caros, y sin Mecenate, que ayude al papel» no pot gastar més en llibres de consulta i en gratificacions als informants, diu a la p. 114), i per això acaba el compromís amb el lector (al qual havia promès nou llibres o fascicles) reproduint un fragment d'un llibre inèdit del seu amic Francesc Llançol sobre els rius d'Espanya. (Els vocabularis 5, 7 i 8 tracten, respectivament, de quadrúpedes, de metalls i pedres precioses, i de «vocablos, y phrases de escreuir».) Pel que fa a l'especificació de les fonts utilitzades, en uns vocabularis l'autor és molt generós i en altres no és gens explícit. Una de les fonts més importants per a les veus romàniques fou el naturalista i metge llenguadocià Guillaume de Rondelet (1507-1566), segons Veny (1980); i per als noms valencians, Joan Baptista Agnes (Veny 1991). D'altra banda, la traducció del llatí a d'altres llengües és molt irregular (o no n'hi ha cap o n'hi ha cinc o sis).

L'interès d'aquest llibre per al català està en la seva antiguitat: hi ha datacions primeres («Versuram facere. Es tomar una cosa fiada en mucho mas de lo que uale [...]. Fortassè est quod Valentini uocant, pendre una reuenda», p. 22) o fins i tot úniques («Membrillos bastardos, Codonys de les Enoues», p. G6v; «Vua colgada, Raym de saluar» i «Vua que llaman Tortosi, o color de paja», p. H4; vegeu «girar en taula» més avall); i d'una altra banda, en el fet que, per als ocells i els peixos, sembla que va recórrer a la llengua viva («los pescadores y caçadores que he estrenado, y combidado, para ver como quadraua lo que yo sacaua de los libros con lo que ellos experimentan», p. 114); però cal relativitzar aquest interès a causa del desordre que hem vist. Aquest material fou aprofitat per molts lexicògrafs posteriors (vegeu-ne el detall en Veny 1991), però no ha estat buidat en els repertoris històrics actuals. A vegades l'autor dóna formes que no semblen lingüísticament les originals o que (en el cas del català) caldria comprovar: «Asellus, Merluza, o Pescada cecial: En Francia Merlus [...], donde uino en Cataluña Merluça» (p. D7v), «Cogombro luengo [...], en reyno de Valencia le llaman alficoço» (p. G2v), «Lampazos, en Valencia Gordollobo» (p. G5v), «Pan y quesillo [*donat com a valencià*], Bursa pastoris» (p. G8).

Onofre Pou

2.15 Onofre Pou (s. XVI), natural de Girona, fou deixeble de Palmireno a València i més endavant professor a la Universitat de Perpinyà. Publicà un extensíssim vocabulari català-llatí, *Thesaurus puerilis* (P. Huete, Valencia 1575), que tingué una gran acceptació: quatre edicions en català (l'esmentada; Barcelona 1580, ampliada, per la qual citem; Perpinyà 1591; Barcelona 1600, amb diverses tirades) i tres en traducció castellana, ampliada (València 1615, Barcelona 1680 i 1684). El vocabulari se centra en la terminologia de la casa, en sentit una mica ampli (parts de la casa, ramats, hort, navegació, agricultura, caça i pesca, comerç, capella, llibres i escola, menjar i beure, pesos i mesures, el cos humà, afectes, virtuts, vicis i malalties, relacions familiars, vestuari, el temps i els vents). A més de la difusió que va tenir, l'obra és important per la gran riquesa de detalls que conté (uns 15 tipus de paret, p. 5 i 5v; més de dues pàgines dedicades a la roba, pp. 193v-195) i perquè recull termes propis de València al costat d'altres que són propis de Girona o del català comú («Ex o fusell», «Chulla o carbonada», «Garça o blanca», «Balca o boua», vegeu C-S, pp. 93-94). L'autor enumera diverses fonts escrites, la majoria llatines (que li van proporcionar el pla de l'obra, però no els termes catalans), entre les quals hi ha Palmireno: vegeu-los enumerats en Soberanas-Colon (1992, pp. 309-310). Alguna font castellana deu ser responsable de nombrosos fantasmes o monstres (com els anomenen C-S, que citen *morzilla*, *llanto*, *herreruelo*, *pesadilla*, etc.; n'hi ha d'altres: *cerco* 1, *assiento perpetuo* 2, *fea* 5v, *entresuelos* 62), de vegades en convivència amb el terme català («Fer la cuñera, o tasconera» 3, «Caxcara, o cloua» 30v, «... ques rasga, o esquinça» 193v, «Atapiernes o lliguescames» 195). La castellanització (que també afecta l'ortografia: *ñ*, *ch*) es pot seguir, en obres com aquesta, concretament en els camps semàntics dels vestits (*Sobrevuelta* 193, *Llechuguilles* 194v, *Paños*, «Greguescos: çaraguelles: o cuxals» 195, *Toquilla*, *Sombrero* 195v, *Sayo* 196) i dels oficis (*Caualleriz*, *Ayo* 103v, *Alacayo*, *Moços de espuela*, *Mantero* 104, *Cochero* 104v, *Sombrerer* 107v). Fou una obra consultada per la majoria de lexicògrafs dels segles XVIII i XIX. El *DCVB* l'aprofita a mitges (no en recull termes o significats únics, com *endolcir* 'polir la pedra' 3v); el *DECat* l'aprofita millor, però no exhaustivament (no hi consta, per exemple, «*Embruquerar*, o reparar la paret» 6). L'obra que ens ocupa seria sens dubte molt útil en l'actual recuperació de lèxics especialitzats (v. §§ 10.21-23).

Font, Torra i Lacavalleria

2.16 Al segle XVII hi ha tres diccionaris catalano-llatins. Són els següents: el del jesuïta **Antoni Font** (1610-1677), titulat *Fons verborum, et phrasium ad iuventutem latinitate imbuendam* (Sebastià y Jaume Mathevat, Barcelona 1637); el de Pere Torra (s. XVII), *Thesaurus verborum, ac phrasium* (Gabriel Nogués, Barcelona 1640), i el de Joan Lacavalleria i Dulach (s. XVII), *Gazophylacium catalano-latinum* (Antoni Lacavalleria, Barcelona 1696). El primer i el darrer van conèixer una sola edició; el segon, almenys dotze edicions o reimpressions (fins al 1757), cosa que ens dóna idea de la influència que pogué tenir en l'ensenyament del llatí i en la lexicografia catalana posterior. Els de Font i Torra (dels quals s'ha ocupat Joan Veny en diversos treballs) són traduccions-adaptacions del manual *Thesaurus verborum ac phrasium ad orationem ex Hispana Latinam efficiendam* (T. Porralis, Pamplona 1590) del jesuïta segovià Bartolomé Bravo, que conegué moltíssimes edicions fins al 1843 i que al seu torn sembla que era una adaptació del *Thesaurus Ciceronianus* (Venècia 1570) de Mario Nizzoli o Nizolius (Palau 34617).

2.17 L'adaptació de Font és servil i poc acurada, amb termes o frases castellans que figuren com a catalans, és a dir, sense traduir (*acabóse*, *acercarse*, *adredes*, *afear*, *a un tris*, *tinaja*), o de forma catalanitzada (*acàs*, *alpargates*, *fonsura* 'fondària', *parrelles* 'graelles'), a part d'altres de semblants que ja devien pertànyer a la llengua viva (*burro*, *candelero*, *javalí*, *paliça*, *tocino*) (vegeu Veny 1983). L'autor es refereix a les notables divergències geogràfiques en el lèxic del Principat de Catalunya i afirma (p. [3]^{v}) que selecciona els vocables i frases més comuns («Vsitatiora apud omnes, profero; Verborumque frequentiùs occurrentium constructionem annoto»). Aquesta és una altra de les obres no buidades pels nostres repertoris històrics i Veny (1980, p. 70; 1983, 1992) ha descobert que, tot i la seva brevetat, ens proporciona moltes variants o accepcions desconegudes (*busó* 'coet', *travaneta* 'traveta') o sense documentació escrita (*jugar al borinot*, *bull* 'mena d'embotit', *camí de Sant Jaume* 'Via Làctia', *gallina* 'covard', *rossinyol* 'clau falsa', *ventre de la cama*), i que proporciona al dialectòleg dades fonètiques, morfològiques i lèxiques nord-occidentals (l'autor era de la Seu d'Urgell). En aquest diccionari hi ha la primera ortografia catalana coneguda; Torra en durà una altra de molt semblant (v. també I, § 1.1).

2.18 El manual de **Torra** és més extens, no és tan servil respecte a Bravo i completa Font, que és una de les fonts a què recorre (de la qual, a més, atenua la castellanització lèxica i ortogràfica); altres fonts són Palmireno i Rondelet (v. § 2.14), Pou (v. § 2.15), potser el Nebrija de Busa (v. § 2.9) i d'altres que n'ignorem. Els nostres repertoris històrics l'aprofiten partint d'edicions tardanes (Coromines, amb irregularitats en la indicació de la data). Veny (1980), limitant-se a la ictionímia, ha posat al descobert (a més de nombrosos errors materials a partir de la segona edició) la lleugeresa del treball de Torra i la seva «actitud indiscriminada» pel que fa a les fonts, amb el resultat de nombrosos fantasmes (veus simplement italianes, occitanes, franceses, castellanes o llatines, amb disfressa catalana o sense), alguns dels quals van passar, a través de lexicògrafs posteriors, fins als actuals diccionaris històrics. Fet i fet, respecte al material procedent dels manuals escolars d'aquesta època, tenen raó C-S (p. 110) quan diuen que «tota crítica filològica és poca».

2.19 El diccionari de **Lacavalleria** és tres vegades més extens (1036 folis a dues columnes) que el de Torra i per primera vegada defineix els termes, bé que de manera més o menys rudimentària i no sistemàticament; conté una quantitat impressionant d'accepcions i frases i un bon nombre de variants lèxiques, formals i gràfiques: tot això ens proporciona una informació minuciosa de la llengua de l'època menys coneguda de la nostra història. No vacil·lem a considerar-lo el diccionari més important fins al de Labèrnia (1839, v. § 7.3). Tanmateix, no ha estat estudiat des dels diferents angles esmentats, i els lexemes i accepcions que recull no han estat gaire ben aprofitats en els diccionaris històrics (si bé els proporciona moltíssimes primeres, últimes o úniques documentacions, com *preufeyter* 'assassí', *viurers* 'queviures', *fons de terra* 'possessió' o *metamorfosa* 'metamorfosi'). Per exemple, *mandroner* 'tirador de fona' consta en les obres històriques només des de 1861; *metamorfosar* és recollit al *DCVB* (única documentació fins al segle XX), però el *DECat* el documenta al 1840; *enfantastich* no consta en l'accepció 'capriciós, inconstant' (vegeu les veus *enfantastich*, *capritxo*, *capritxòs*); tampoc *capellaniu* 'sacrario praefectus, sacrarii custos', ni *moll* en l'accepció genèrica de 'massa' (llatí *moles*) que veiem a «Moll dins la aygua», «Fer vn moll pera construyr dessobre» (p. 72b, 736b), ni *badayre* 'badoc, babau, enze'.

Indicarem alguna cosa més sobre els diferents aspectes d'aquesta obra a què hem al·ludit. Pel que fa a les definicions, vegem-ne diversos tipus: «Capida; *vel blanch, que posan al minyó, despres de averli donada la aygua del Sant Baptisme*», «Capitolar, *ò pactar pera lo rendiment de una fortalesa*», «Capò, *aucell domestich*», «Caponar, *à un pollastre*. Pullum [...] castrare», «Capritxo, *promptitut de home enfantastich*», «Folgar, *ò folgarse; dir coses de folga, ò pera riurer*», «Llaor, *ò llahor; alabansa*», «Llesca, *ò tallada de pa, ò de altra cosa bona pera menjar*», «Menjadora, [...] *vaxell en lo qual se dona á menjar als animals*», «Menyspresar, *menospreciar, menysprear, despreciar, ò vilipendiar alguna cosa*». Com a exemple de riquesa d'accepcions o espècies remetem a la veu *aygua*, on, entre molts altres detalls, en trobem aquestes classes i d'altres: aigua *natural*, *viva*, *morta*, *de roca*, *artificial*, *ferrada* («ò bullida ab ferro»), *medicada*, *fort de argenter*, *ros*, *de olor*, *nafa*, *ardent*, *cuyt* (o *cola*) i «aygua, ò such de la fruyta». La mateixa veu ens serveix per il·lustrar la fraseologia i els refranys (molt escassos): *fer a.* 'portar a. (a una nau)', *dar a. mans* 'aquam manibus dare, fundere', *anar per a.* 'navegar', *estar tot en a.* 'suar', *escampar a.* 'orinar'; *Les sues aygues son baixes* 'es troba en un destret' (que l'autor considera un «adagi»), *Vos aveu feta la aygua tota clara* 'ho has fet endeba-des' (afegim-hi «destruyr *de sol à rel*» 'd. totalment', a l'article *fonament*, que el *DCVB* documenta a València a finals del segle XVI i a Mallorca a finals del XIX). Sinònims i variants (que ja hem vist en algun cas): «Fenoll, *ó fonoll*», «Ferida, *ó nafra*», «Ferm, *ó estabil*», «Fero, *feròs, altiu, grave, coratjós*», «Asser, *ò acer*», «Baix *ò bax*», «Captiu, *ò catiu*», «Llaor, *ò llahor*», «Menos, *manco*», «Sobmissió, *ó somissió*», «Viatge, *ó viatje*», «Unsa, *ó onsa*». Els castellanismes també són en aquesta obra molt normals: *apressurar*, *apretar*, *apreto* 'tràngol', *assento* 'seient', *assessino*, *ditxo*, *llano*, *llanto*, *mandato*, *mando*, *menos*, *modo*, *pelear*, *platano* (l'arbre), *plebeyo*, *quedo* (p. 718b), *retrato*, *senzillo*, *tino*. Finalment, tindrem una idea de la riquesa d'aquesta obra sabent que *baix* hi ocupa una columna; els substantius *cap*, *cara*, *mina* i *veu*, dues; *menjar*, *mesura* i *mirar*, dues i mitja; l'adverbi *mes* (més), cinc; etc. (Solà 1991, pp. 29-56).

Altres obres

2.20 A la famosa *Prima grammaticae latinae institutio* del metge d'Alcoi Andreu Sempere (+1572), que conegué unes 35 edicions entre 1546 i 1825 (vegeu Marcet-Solà), no hi trobem res que ens pugui interessar (consultem l'edició de Palma de Mallorca 1749). La no menys famosa *Breuis ac compendiaria syntaxis...* de Joan Torrella (s. XVI) (unes 45 edicions de 1564 a 1813, vegeu M-S) conté en alguna edició (com la de Cervera de 1739 i l'esmentada al § 2.11) un «Indice de tots los verbs...», seguit d'un altre d'adverbis, en llatí i català (els primers, no sempre traduïts).

2.21 Però és d'una importància notable una altra obra que fins ara no s'havia pres en consideració, la primera edició de la qual és la següent: «*Svma de temps, y altres rvdiments de la Gramatica*, com se enseña en la Compañia de Iesvs... Compost per lo Licenciado de Válles. Tradvit en Català per Gabriel Rovira...» (Lorens Deu, Barcelona 1641). De l'autor, potser Ignacio de los Valles, se'n sap probablement la pàtria (que seria Valladolid) i no gaire cosa més (devia ser jesuïta). L'obra va conèixer dues edicions a Saragossa (1657, 1727) i unes vint-i-cinc en terres catalanes (des de la descrita fins al 1780: vegeu M-S). Aquesta circumstància i algun altre detall fan sospitar que fos català (de vegades apareix escrit *de Vallès, de Valles* o *de los Valls).* La dita obra té interès per les següents raons: les versions més extenses (per exemple la de Barcelona 1699 i les de Cervera 1740, 1757; citarem per la penúltima), després de la part gramatical (106 p.), inclouen un extensíssim «Abecedari dels verbs més principals que contè en si tota la Llatinitat; declarant ab algunas frases las varias significacions, y construccions de cada hu de ells...» (200 p.) i un altre més modest «Abecedari dels noms mes principals...» (30 p.) amb la mateixa estructura (fet per «D. I. M.»), i acaben amb una «Taula» de noms, verbs i frases força precisa. Es tracta, per tant, d'una obra comparable al *Liber elegantiarum* (v. § 2.5) i *Las elegancias* (v. § 2.7), però més ordenat que la primera i amb molta més riquesa catalana i fiabilitat que la segona. A l'investigador li interessaran d'aquesta obra múltiples detalls morfològics, sintàctics, fraseològics i lèxics. Pel que fa al lèxic, hi trobem molts castellanismes (*aguardar*, *alabar*, *aliviar*, *animo*, *apaciguar*, *aventajarse*, *colina*, *consuelo*, *cuento*, *cuidado*, *ditxós*, *encolerizar*, *estrago*, *hermós*, *hospedar*, *ingeni*, *loco*, *locura*, *mando*, *ninyeria*, *pelea*, *prendas*, *puesto*, *recreo*, *rehusar*, *ruido*, *sazonar*, *sensillo*, *superbo*; i d'altres que l'índex no recull: *apascentar* 109 al costat de *pascut* 325 [participi de *péixer*], *barato* 186, *carinyo* 321, *casto* 144 al costat de *cast* 324, *desahogo* 119, *pasmar* 332, *severo* 120) que sens dubte ajudaran a fixar les vicissituds de la llengua en aquest terreny (vegeu Solà 1991, pp. 29-56). No hi falten altres detalls interessants, com les frases «fer las *funerarias*» o *obsequias* 'exèquies' (no documentades en aquesta època pels repertoris històrics), o *fletxar* 'armar (l'arc)' (p. 118) (poc conegut), o *novi* 'cast. novio' (més ben conegut).

2.22 Tancarem aquesta llarga secció amb unes consideracions breus. Les obres estudiades aquí (amb alguna excepció, com Lacavalleria) presenten, en grau més o menys elevat, unes certes característiques comunes: *a*) Barregen el català i el castellà de manera sorprenent. *b*) Palmireno, a més a més, barreja diverses altres llengües i dialectes de manera gens sistemàtica. *c*) De vegades hi falta el mot català, en lloc del qual sovint apareix una perífrasi descriptiva-explicativa del concepte o objecte; però no hi falta mai el mot llatí precís, que sovint va acompanyat de més d'un sinònim en aquesta llengua sàvia. Aquests fenòmens es poden interpretar pensant que allò que interessava en aquesta mena de manuals era simplement *el llatí*, no pas la o les llengües romàniques: aquestes, doncs, eren meres auxiliars per arribar a aquella. I –segon aspecte important de la qüestió– entre les romàniques (o almenys en català) en aquests segles no hi havia cap –o ben poca– sensibilitat lingüística que incités al purisme, a evitar les barreges i les potineries; i això arriba fins a finals del segle XVIII o mitjan XIX. Finalment, els llibres escolars eren, per definició, matèria de poca consideració, de poc escrúpol, car havien de ser barats, etc.

3. INTERÈS PER LLENGÜES MODERNES

3.1 L'any 1502 Joan Rosembach (? - 1530) publicà a Perpinyà un anònim i curiós *Vocabolari molt profitos per apendre Lo Catalan Alamany y Lo Alamany Catalan* (n'hi ha una excel·lent edició facsímil, amb estudi i registres de Pere Barnils, Institut d'Estudis Catalans, Barcelona 1916; i ara hi ha edició facsímil de tot el treball de Barnils, amb pròleg de Tilbert Dídac Stegmann i la bibliografia completa que el vocabulari ha suscitat: Stegmann 1991), manual pràctic ordenat per centres d'interès, motivat potser per la presència de tipògrafs alemanys al nostre territori. És una adaptació bastant fidel d'un model italià molt divulgat a la darreria del segle XV, tot i que presenta interessants trets autòctons (morfològics i lèxics) o d'un altre origen (castellanismes abundants, com *agora*), a més dels relacionats amb l'italià i l'alemany. Ha rebut atenció explícita almenys vuit vegades, però encara «és ple de problemes», com diuen C-S (p. 59).

3.2 Un altre tipògraf (ara aquità) establert a Catalunya, **Pere Lacavalleria** (? - ca. 1645), va publicar el primer manual de conversació conegut en català, *Dictionario castellano* [...]. *Dictionaire françois. Dictionari catala* (Antoni Lacavalleria, Barcelona 1641; altres edicions, 1642, 1647), frasari a tres columnes, que conté a més a més un vocabulari trilingüe sense ordre alfabètic, que reflecteix molt bé la llengua normal de l'època i és útil per a estudis contrastius (exemples del vocabulari, presos de C-S 104: «ladrillar *pauer* enrajolar», «temprano, de mañana *bien matin* de bon mati»). És més interessant el *Promptuario Trilingue* [...] *Catalan, Castellano, y Francés* (Pau Campins, Barcelona 1771) de **Josep Broch** (s. XVIII), ampli lèxic a tres columnes, ordenat per matèries i destinat a l'ensenyament de les dues llengües últimes, bon reflex també de la llengua del moment («Bufa. Vegiga. Vessie», p. 24), amb popularismes (*sòmit* 'somni', p. 27) i castellanismes, notables per exemple en roba de vestir i guarniments (*coleto*, *almilla*, *manto*, *enaguas*, «Afeitarse, ferse el *bello*», *bano*, *bueltas*, *fato* 'roba, equipatge', *manguito*, pp. 28-32; vegeu el que hem dit al § 2.15. Per a obres més recents, vegeu els §§ 7.4 i 10.25 ss.

4. DICCIONARIS DE RIMA

4.1 En aquest gènere no hi ha hagut cap tradició en català fins fa poc, i el material lèxic produït, que ja és en si difícil d'estudiar, amb prou feines ha estat sotmès a anàlisi filològica (cosa que en dificulta l'aprofitament en els repertoris històrics). L'enumeració completa dels tractats en comprèn dos del segle XIV: el *Diccionari de rims* de Jacme March (ca. 1335-1410), de 1371 (edició d'A. Griera, Institut d'Estudis Catalans, Barcelona 1921), i un altre que està inclòs al *Torcimany* de Lluís d'Averçó (+ ca. 1415), una mica posterior (edició de José M. Casas Homs, Consejo Superior de Investigaciones Científicas, Barcelona 1956); tres d'inèdits dels segles XVIII-XIX (C-S, p. 22); un altre d'editat el 1852, dins d'*Elements de poética catalana y diccionari de sa rima* (Grases, Gerona) de Pau Estorch i Siqués (1805-1870), i dos del segle XX: *Diccionari de la rima de la llengua catalana* (Salesiana, Barcelona 1921) de Fèlix Quer i Cassart i *Diccionari de la rima* (Frederic Domènech, València 1956, 2a ed., augmentada de 2714 grups a 3186: Fermar, València 1980-1981) de Francesc Ferrer Pastor (1918-).

4.2 El de **March** comprèn unes 6000 paraules sense definició (la majoria) o amb definició sumària, moltes de les quals són difícils d'identificar (hi ha barreja de noms propis amb formes flexionades, etc.): sembla que la majoria són catalanes, però n'hi ha d'occitanes i de castellanes. El *Donats proensals* (segle XIII) en fou la font més abundant. Les llistes són d'aquest estil: «Per cell qui mana / per nom de dona: *manda*» (p. 76), «per cell qui menga / per lo papa: *papa*» (p. 77; aquesta aparició de *papar* 'menjar' falta al *DCVB*, però no al *DECat*). Molt més extens és el diccionari d'**Averçó**, però també duu poques definicions i presenta els mateixos problemes per als lexicògrafs: els lexemes catalans són deu vegades més abundants que els occitans (amb els quals es barregen a vegades: *inposa/*

inpausa, preposa/prepausa, reposa/repausa, vol. 2, p. 38); i l'editor adverteix (vol. 1, p. LXXII) de la sorprenent quantitat de castellanismes inclosos (*padre, madre, risa, perro, «rota, per esquinçada», «pisa, per calcigar»*). Per als problemes de relació entre català i occità, el lector pot consultar Bruguera (1985) i la bibliografia que aquest autor esmenta (especialment Colon 1976, 1978 i Bruguera 1977).

4.3 **Estorch** distingeix a les seves llistes les veus tècniques (*sobreplá, rarefaig, orsar, pairar, llegar, gassa*), les poètiques (*ambular, argentar*), les familiars (*ray, rosegayre, cupsar, dardar, xarlar*), les antiquades (*planyo, comanar*) i les «territorials» (*xay, bagolayre, calamar, rautar, galló, acaferat* 'aqueferat', *moresch*), però no sap distingir les veus genuïnes de les que no ho són: aquesta obra sembla de valor lexicogràfic nul o escàs (és farcida de barbarismes i de termes poc menys difícils de controlar que els vistos del segle XIV), però pot contenir alguna dada interessant. **Quer** ja pertany a una època lexicogràfica més segura: indica les categories sintàctiques i algun altre detall (paraules italianes, angleses, etc., i arcaismes) i dóna alguna locució (*fer el papull, mirar de regull*, p. 128).

4.4 El diccionari de **Ferrer Pastor** es presenta com una aportació valenciana a la lexicografia catalana, útil per a versificadors i com a obra de consulta. Dóna les equivalències en castellà i definicions breus –fidels al *DGLC*– i no conté informació sobre l'extensió o la vitalitat de determinades veus (*teb* 'tebi', *xeu* 'pardal', *drut* 'amant', *cornell* 'cornut'), ni exemples. (Vegeu Colon 1958.)

4.5 Per proximitat, consignarem aquí dos diccionaris inversos. El *Diccionari invers de la llengua catalana* (Universitat Autònoma de Barcelona/LADL, Bellaterra 1986), de **M. L. Massó**, **C. Subirats** i **P. Vaisseux**, presenta una única estructura, amb ordenació que prescindeix de criteris fonètics; elaborat amb mitjans informàtics, el seu corpus s'ha extret d'una edició antiga –que no s'indica– del *DGLC*: la 5a (1966) o la 6a (1968), sense considerar les aportacions lèxiques d'obres posteriors (v. § 10.2), amb la qual cosa als errors inevitables de la font (Mascaró 1987) s'afegeixen els que comporta la poca actualitat del material lèxic utilitzat. Tota una altra cosa és el *Diccionari català invers amb informació morfològica*, de **Joan Mascaró** i **Joaquim Rafel** (Publicacions de l'Abadia de Montserrat, Barcelona 1990): conté l'«ordenació alfabètica inversa de tots els mots del *DGLC*, amb les seves expansions inflectives verbals i nominals» (pp. XII-XIII); la informació morfològica «elimina una gran quantitat d'indeterminació» en casos com els homògrafs (*buf* pot ser nom, adjectiu i adjectiu substantivat), i és per això que aquesta obra recull com a entrades diferents les «accepcions» de la font (la 4a edició del *DGLC*, Edhasa, Barcelona 1966) que tinguin un codi morfològic diferent. Per exemple, *guerxo* té una entrada a la font i deu al *Diccionari català invers* (*guerxo* a[adjectiu masculí singular], *guerxa* af[adjectiu femení singular], *guerxos* amp[adjectiu masculí plural], *guerxes* afp[adjectiu femení plural; *guerx* a, *guerxa* af, *guerxos* amp, *guerxes* afp; i *guerxo* av[adverbi], *guerx* av].

L'explotació informàtica de les dades ha permès als autors l'elaboració de quatre apèndixs de gran interès: un amb la relació de totes les formes inflectives que surten al *Diccionari invers*; dos apèndixs més, un de terminacions i un altre d'arrels; i un de darrer que conté un resum estadístic de les freqüències dels caràcters finals al diccionari.

5. EXPLICACIÓ DE PARAULES DIFÍCILS

5.1 En aquest capítol incloem diversos treballs no exactament homogenis i, a més, molt separats en el temps (C-S 1986 tracten als capítols 4, 10 i 13 la majoria dels que esmentarem). Hi ha alguna obra de **Ramon Llull** (ca. 1232 - ca. 1315) que inclou, en els manuscrits dels segles XIV-XV, llistes de termes «explicats» per a ús escolar. La més coneguda és la de l'*Art amativa* (publicada per S. Galmés en l'edició d'aquesta obra, vol. XVII de les *Obres originals* de Llull, Palma de Mallorca 1933), amb vocables tècnics escolàstics en llatí o català, d'aquest estil: «*amabundus* es aytant dir com abundós de amor; e açò mateix se entén de *bonabundus* qui es abundant de be, e d *amorós* qui es complit d amor, e *bonós* qui es complit de be» (p. 390). No podem entrar en la important qüestió de les necessitats i habilitats lèxiques de Llull (vegeu, per a aquests aspectes, Badia-Moll 1960, Moll 1982, cap. II, Vidal i Roca 1990 i Llinarès 1990), que podem il·lustrar amb aquest altre exemple: «*Bonificatiu* es bo qui fa be sots rahó de bonea, e *bonificable* es ço que es apparelat a esser bo, e *bonificar* es lo acte de bondat, e *bonificat* es ço qui es feyt bo; e açò matex se entén de *intellectiu*, *entenent*, *intelligible*, *entendre*, *entengut*» (p. 391). L'obra fou buidada al *DCVB*, però no exhaustivament (hi falta, per exemple, *punt trespassant*, que «es aquell per lo qual hom munta a entendre sobre ses forces», p. 395). Avui posseïm un glossari de Llull realitzat per Miquel Colom, *Glossari general lul·lià* (5 vols., Moll, Mallorca 1982-1985). Es tracta d'un treball monogràfic que pretén contenir el lèxic dispers en les nombroses obres escrites en català i ja editades de Ramon Llull, incloent-hi a més tres obres inèdites. Les paraules es presenten en el seu context, a l'estil del *DCVB*, cosa que permet abastar-les des del punt de vista semàntic i sintàctic. Inclou variants gràfiques i fonètiques, i noms propis. Per a la majoria de definicions, classificacions i etimologies l'autor s'ha basat en el *DCVB*, i poc o molt en les obres següents: *DGLC*, J. Coromines, *Breve diccionario etimológico de la len-*

gua castellana (Gredos, Madrid 1961) i *Lleures i converses d'un filòleg* (Club Editor, Barcelona 1971), i en W. Meyer-Lübke, *Romanisches etymologisches Wörterbuch* (Heidelberg, 1911-1920). L'obra de Colom informa sobre l'etimologia i la categoria gramatical, i en cada article conté una o més citacions, de vegades paràgrafs sencers.

5.2 Modest Prats (1983) descobrí, estudià i publicà una altra llista de paraules difícils continguda en tres manuscrits (de la primeria del segle XIV) de la traducció feta (pels volts del 1381) per **Arnau Estanyol** del *De regimine principum* d'**Egidio Romano**. La traducció, que fou editada, ha estat aprofitada parcialment al *DCVB*: però en aquesta obra i al *DECat* hi falten significants (*diòmetre* 'línia que divideix en dues parts una figura circular; etc.', *duïble* 'que es duu o maneja amb facilitat', *marejar/parejar* 'assemblar-se a la mare/al pare', p. 83 de Prats) o significats (*degà* 'cap militar de deu homes', *iconòmic* 'el qui té cura de la distribució o l'ordre a casa seva') o documents que els il·lustrin (*conill*(*era*) 'galeria subterrània per prendre una fortalesa'), o bé certes paraules hi estan documentades molt més tard (*aristocràcia*, *democràcia*, *rarefacció*, al segle XIX; *matemàtic* 'persona entesa en matemàtiques', *passional*, al s. XX). Lambert Farreres (1991) ens ha donat una mostra d'un altre glossari d'una traducció de **Titus Livi** del segle XIV, i en prepara l'edició completa.

5.3 Les edicions barcelonines (1543, 1545, 1560) d'**Ausiàs March** (mort un segle abans) porten també explicacions dels vocables que devien resultar arcaics per als barcelonins de l'època (fenomen interessant per a la història de la llengua); les dues últimes edicions porten gairebé sempre, a més a més, l'equivalència castellana (primer vocabulari de totes dues llengües: «*Assats*, per prou, o por harto», «*Aulesa*, per, o por vellacaria»). Colon (1983) ha editat recentment els tres vocabularis. El cèlebre poeta fou editat també a Valladolid l'any 1555, amb un vocabulari català-castellà confeccionat per Juan de Resa, farcit d'errors i imperfeccions (com no lematitzar les veus o introduir-les per l'article, etc.: «*L'infá* [li'n fa]. le hace», «*L'endreç*. el adreço», «*Laus toleu*. os la quiteys» figuren a la *l*), a més de glosses sens dubte innecessàries per a qui s'atreví amb aquest text («*L'any*. el año»). A pesar de tot, aquest vocabulari es va usar o reproduir nombroses vegades fins al segle XX: esmentarem *in extenso* només el «Breve vocabulario valenciano y castellano de las voces mas obscuras ó anticuadas» que Just Pastor Fuster (1761-1835) va elaborar (vol. 1 de la seva *Biblioteca valenciana*, José Ximeno, Valencia 1827) amb l'ajuda d'aquell i d'altres, amb nous errors i descuits (C-S, pp. 139-140); les altres reproduccions (R) o adaptacions-imitacions (A), les feren els següents autors (detalls a M-S): Pere Antoni Figuera (1840, A), Josep Tastú (1849, R), Pelai Briz (1864, R-A), Jaume Barrera (1908-1909) i Salvador Guinot (1929, R). Avui disposem d'una llista fiable dels vocables del poeta, amb les seves freqüències, però sense referència als textos (publicada per Hauf 1983).

5.4 Menys sorprenent, pel fet que és un text més antic, és l'existència d'una «Taula de les paraules dificils...» a l'edició valenciana del 1557 de la *Chronica* de **Jaume I**: a més, es tracta en general de termes tècnics d'armes, institucions o monedes (i de veus «axi Llemosines com Arabiques, com Franceses»: «... *mensonja*, vol dir *mentira*, es paraula... Francesa»; «*trabuquer*, *almajanech*, *algarades*, *foneuol*, *manganell Turques*, son ingenis de guerra antichs pera tirar pedres»), de gran interès (com també els seus equivalents del segle XVI: «... *exortins*... son homens de guarda del rey, com huy se diuen *alabarders*»); crònica fonamental i mal coneguda fins ara, de la qual J. Bruguera (1991) ha realitzat la primera edició crítica i un ampli estudi lingüístic.

5.5 Encara tenen més interès, potser, les glosses marginals, sobre termes marítims o nàutics (*panès* 'conseller de popa', *gayatells* 'senyals', *terracenia* 'en terra de sarrahins') o sobre arcaismes (*a scar* 'scarada o preu fet', *rasa* 'rancor', *forciblament* 'per forsa', *hoc* 'sí'), de dues edicions barcelonines del *Llibre del Consolat de Mar* (1592, 1645) (exemples trets de C-5 83-84), obra que també va anotar l'erudit Antoni de Capmany i de Montpalau (1742-1795) en el vol. 1 de l'edició i la traducció que féu del llibre (*Codigo de las costumbres maritimas de Barcelona...*, Antonio de Sancha, Madrid 1791; reedició: Cámara Oficial de Comercio y Navegación, Barcelona 1965; fem referència a la primera ed.): «Glosario castellano de los vocablos nauticos y mercantiles» (amb els termes catalans, pp. 341-354); «Vocabulario de las palabras catalanas mas dificiles» (355-363), «Muestras de algunas voces y frases... mal entendidas...» (364-367), treball ben fet, però sense referència als textos afectats (C-S 127). El mateix autor havia publicat unes *Memorias historicas sobre la marina, comercio y artes de la antigua ciudad de Barcelona* en quatre volums gruixuts (Antonio de Sancha, Madrid 1779-1792; nova ed., Cámara Oficial de Comercio y Navegación, Barcelona 1961-1963, que suprimeix la major part del material que esmentarem), amb llistes i vocabularis abundants: «de bastimentos antiguos» (en català i altres llengües, vol. 1), «de las familias catalanas», «del latin bajo» (amb traducció castellana), «de las voces catalanas mas dificiles o antiquadas» (vol. 2), «de algunos nombres latinos, asi apelativos, como geograficos y [...] de oficios» (amb versió catalana), «Apellidos de familias», «Nombres geograficos», «Nombres de oficios y titulos» (vol. 4), etc. (detalls a M-S). I finalment tenim edició crítica del Consolat de Mar, dirigida per Germà Colon (Barcelona, Fundació Salvador Vives Casajuana/Fundació Noguera, 1981-1982), que permetrà aprofitar-lo millor.

5.6 Aquest mateix erudit lexicògraf ha realitzat, juntament amb Arcadi Garcia, l'edició crítica d'un altre corpus bàsic, els *Furs de València* (Barcino, Barcelona 1970-, 5 vols. fins a 1990), que promet culminar amb un estudi lingüístic. De moment posseïm un *Vocabulario ú Onomasticón de Voces de ... [los] Fueros...* compost per **Gaspar Gil Polo** i **Josep Llop** en el segle XVII (ms. 350 de la Catedral de València) i publicat el 1945 a nom de Roc Chabàs: «una de les obres lexicogràfiques valencianes més importants» (Gulsoy 1964b, p. 122) pel mètode, avançat respecte al seu temps: addueix una bona quantitat d'autoritats, fonts i textos per avalar les explicacions: per exemple, cita Du Cange; però els esments de Labèrnia i Aguiló (v. §§ 7.3 i 8.1) han de ser, evidentment, de Chabàs, que copià el text i el traduí al castellà, o bé de J. Osset Merle, que copià el text de Chabàs per a la impremta i l'anotà (detalls a Gulsoy 1964b, pp. 121-123); a vegades insinua l'etimologia, etc.

5.7 L'*Espill de ben viure* (Benét Monfòrt, Valencia 1827) de **Jaume Montanyés** porta també un glossari en aquesta edició, feta per Onofre Soler (l'obra és de 1559): vegeu-ne l'estudi i la transcripció d'Emili Casanova i Cecilio Alonso (1988). Per acabar amb aquesta matèria, direm que moltes edicions de textos antics porten vocabularis aclaridors. Aquí n'hi haurà prou d'esmentar, per la importància en volum i la cura amb què han estat elaborats, els que acompanyen sistemàticament (amb explicacions en català modern) els autors de la col·lecció Els Nostres Clàssics, dirigida fins fa poc per Josep M. de Casacuberta i ara per Amadeu-J. Soberanas, començada (amb Bernat Metge) a Barcelona per l'Editorial Barcino el 1925 i que ja ha arribat als 132 volums (1993): aquests vocabularis inclouen, com altres que n'hem vist, formes verbals (*fe'm* 'fes-me', vol. 1; *encircuexen* 'envolten', *tirà-la* 'va estirar-la', vol. 108) i altres detalls inusuals en altres tipus de lèxics, i també construccions (*acaptes ab* 'aconsegueixes de', *en gràvit* 'inconscientment', vol. 14; *a les voltes* 'a vegades', vol. 108) i fins i tot textos més extensos (*si no us tornava en enuig* 'si no se us feia enutjós', vol. 1), sempre amb referència als passatges afectats. L'Editorial sembla que té en preparació una edició conjunta d'aquests vocabularis, que seria d'incalculable utilitat. Per altra banda, sembla que la Universitat de Manchester té el projecte de confeccionar un diccionari del català medieval.

5.8 No podem deixar d'esmentar aquí l'excel·lent repertori lèxic que Ramon Miquel i Planas (1874-1950) inclogué en la seva edició de l'*Spill* de **Jaume Roig** (Barcelona 1929-1950; vol. 2, pp. 411-434), ni l'important buidatge exhaustiu de la crònica de **Jaume I** que ens ofereix Jordi Bruguera (1991; vol. I, pp. 155-333), a més d'un glossari (vol. II, pp. 389-395) similar als que hem esmentat més amunt. Sortosament, els repertoris lèxics ja comencen a abundar: sense cap intenció d'aprofundir en un terreny prolix (n'hi ha diversos, per exemple, en el material que hem vist als capítols 2, 3 i 4), hem d'esmentar almenys, per la seva importància, els abundants repertoris exhaustius inclosos en treballs de l'*Arxiu de Textos Catalans Antics* (Barcelona), que dirigeix Josep Perarnau i que ja compta amb dotze volums: vegeu-ne, per exemple, a 1 (1982), pp. 44-46, 76-78; 2 (1983), pp. 97-103; 3 (1984), pp. 178-191; 11 (1992), pp. 321-328); 12 (1993), pp. 125-138.

Pel que fa a vocabularis d'autors determinats, antics o moderns, hem de dir que és encara un terreny pràcticament verge, circumstància paradoxal avui que la lexicografia científica catalana ha pres tant de vol. A part l'obra referida a Llull, que hem vist al § 5.1, tenim el *Vocabulari de Sant Vicent Ferrer* (Fundació Salvador Vives Casajuana, Barcelona 1977), de Gret Schib, fet sobre els sermons del popular predicador, una de les primeres figures per a la història de la llengua; la meritòria *Aportació lèxica de Josep Carner a la llengua literària catalana* (Fundació Salvador Vives Casajuana, Barcelona 1977), de Loreto Busquets, i el *Lèxic d'Antoni Canals* (Publicacions de l'Abadia de Montserrat, Barcelona 1988), d'Emili Casanova.

5.9 Diverses obres jurídiques valencianes dels segles XVI i XVII contenen índexs de matèries que poden interessar al lexicògraf: vegeu, per exemple, **Onofre Bartomeu Ginart**, *Repertori general, y breu sumari per orde alphabetich de totes les materies dels Furs*, 1608; **Josep Llop** (escrit *Lop*), *De la Institucio, Govern Politich*; i *Observancies de la Fabrica* *vella...*, 1675. Altres obres contenen vocabularis catalano-llatins d'oficis: el *Formularium diversorum instrumentorum* (1636) de **Gregori Tarraza** conté, a més a més, noms de coses i llocs relacionats amb els oficis (*almut*, *masada*), reflex del llenguatge de l'època («mestre de *relonges* /de *palmitos*»); n'hi ha un altre a *Discurso de la calidad del Notario y Procurador* (1636) de **Silvestre Blanco**; el més extens i important (amb dades filològiques com l'etimologia, la quantitat vocàlica per al llatí, una generosa menció de fonts i l'adducció de textos llatins) és el contingut a *Praeclarae Artis Notariae* (1643) de **Vicent Joan Exulve** («*Alabarder. Spiculator*. 1. lon[ga]. 2. bre[vis]. 3. long. Perey. *satelles, tis*. [...] *Dum peteret Regem decepta satellite dextra*. De aqui viene *Satellitium*, guarda de homens armats», «*Seder, Metaxarius ii. Thes[aurus] Puer[ilis]*, p. 319. *Sericarius* a *sericum i*: per *la seda* [...]»), que bé podria ser el model de l'obra esmentada de Gil Polo i Llop. Finalment, el mercedari **Manuel Maria Ribera** (1652-1736) va incloure un breu glossari català-castellà (que transcriuen C-S 114) de termes «catalanes antiguos lemosinos» en la seva *Centuria primera...* (Pau Campins, Barcelona 1736). (Sobre una part d'aquest material v. ara Colomina 1989.)

6. EL SEGLE XVIII

6.1 A pesar que la pressió político-lingüística contrària al català és més forta en aquest segle, la producció lexicogràfica, dins de la seva extrema precarietat, és relativament abundant. Ja n'hem vist alguna mostra (v. capítols 3, 4, 5) i prescindirem de noms com Pere Màrtir Anglès (v. I, § 1.1), Baldiri Rexach i Gregori Mayans (vegeu C-S, pp. 116-118, 136) per detenir-nos en uns altres de més rellevants. El més notable és el valencià **Carles Ros** (1703-1773), notari de professió, multifacètic amant de la recuperació de la llengua (escriu diccionaris, ortografies, poesies i col·loquis i edita un parell de textos: v. I, § 1.1), però és home sense cap preparació filològica i amb deformacions greus. El seu *Breve Diccionario Valenciano-Castellano* (Joseph Garcia, Valencia 1739) és una incontrolada col·lecció d'uns 2000 vocables antics procedents dels vocabularis de Resa i Jaume I (v. §§ 5.3-4) i de l'*Spill* de Jaume Roig (una de les obres filològicament més difícils de la nostra literatura, de la qual ell mateix havia fet una edició inservible), amb tots els errors de les fonts més altres de propis. Hi va incorporar, a més, procedents dels *Orígenes del español* de Mayans (1737), paraules «de la germanía castellana o de l'àrab granadí» (C-S 123) que a ell li devien semblar catalanes. Aquest material tan tèrbol passarà a molts lexicògrafs posteriors i fins i tot farà ensopegar erudits tan insignes com Dozy, Eguílaz, Steiger i Coromines (Gulsoy 1964b, p. 126; 1964a, p. 36). És menys dolenta una segona obra seva, el *Diccionario valenciano-castellano* (Benito Monfort, Valencia 1764), feta amb materials de l'obra anterior i de Palmireno (v. § 2.14) i amb observacions interessants de la llengua quotidiana (*pèntols* 'bocinets'; *Père va fèt pèntols* 'va esparracat, etc.', p. 182, primera documentació del terme). Es tracta d'una obra reduïda: en general conté només veus «no triviales» o «que no tienen semajança en las dos Lenguas» (p. 1). L'autor marca la qualitat vocàlica de les *ee* i les *oo* (els accents van al revés del que s'usa avui), i hi afegeix (pp. 333-334) un breu vocabulari de barbarismes en el qual ja descobrim el prejudici de considerar bones les paraules amb forma catalana espontània o inventada («alivio, per *allívi*», etc.; v. capítol 9). Va deixar, inèdits, una redacció ampliada però no acabada d'aquest diccionari, i també un *Raro diccionario valenciano-castellano* [...] *de voces monosílabas*: aquest últim, estudiat ara i il·lustrat per Casanova (1991).

6.2 A més a més de l'*Spill*, Ros edit判 (1768), anònima, la *Rondalla de rondalles* de **Lluís Galiana** (1740-1771), obra valuosa per a la lexicografia (n'hi ha edició recent amb introducció i estudi lingüístic de Joan E. Pellicer, Universitat de València 1986), feta a imitació del *Cuento de cuentos* de Quevedo i de la *Historia de historias* de Diego de Torres. Galiana ens va deixar també, inèdita, una col·lecció de refranys que han estat editats per Vicente Castañeda (*Recopilación de refranes valencianos*, Madrid 1920). Posseïm també una *Rondaya de rondayas* en mallorquí editada (Felip Guasp, Palma 1815; altres eds., 1817, 1834, 1881, 1912), de **Tomàs Aguiló**, i una altra d'inèdita (v. el treball de Jaume Vidal Alcover 1977).

6.3 També fou valencià el lexicògraf més important del segle, **Manuel Joaquim Sanelo** (1760-1827), que deixà inèdits un *Silabario De Vocablos Lemosines ó Valencianos,* de monosíl·labs amb traducció castellana (comentaris de Gulsoy i mostres a *Miscel·lània Sanchis Guarner*, II, Publicacions de l'Abadia de Montserrat, Barcelona 1992, pp. 217-237) i nombrosos materials per a un diccionari valencià-castellà, estudiats amb gran competència i editats de manera exemplar per Joseph Gulsoy (1964*a*). La segona obra dóna l'equivalència castellana (algunes vegades també la llatina: pp. 220-222, etc.) i/o sovint explicacions sobre el vocable (*arrober*, *balma*, *çofres*, *esparbèr*, *rellomello*, *sobreria*, *tresillat*, *ullals*), frases («*Vero*. Verdad. *Aixo es vero*. Eso es verdad»), contextos («*Respit*. Voluntaria cosa. *Arrendament per 8 anys, 4 de ferm y 4 de respit...*») i refranys (vegeu *tart*, *veres*). No hi ha cap altre tipus d'informació gramatical o semàntica. Les fonts de l'obra (Gulsoy 1964*a*, pp. 29-46), en alguna ocasió orals, en general són escrites i els nostres lectors en coneixen o en coneixeran qui-sap-les: Laguna, Palmireno, Pou, Torra, March, Jaume I, Exulve, Ros, Esteve-Bellvitges-Juglà, etc., i l'*Spill*, els *Furs*, etc., obres que l'autor es preocupa de citar constantment (n'és un exemple paradigmàtic *uxer*), «com un erudit modern» (C-S 141) i com ja havien fet altres compatricis seus (v. §§ 5.6, 5.9). Malgrat que no tot el material és igualment fiable (C-S 142), es tracta sens dubte d'un dels treballs més valuosos que posseïm fins a mitjan segle XIX.

6.4 Un altre valencià, **Marc Antoni d'Orellana** (1731-1813), afegí unes quantes veus «no triviales» i uns quants monosíl·labs (matèria que ha engrescat molts aficionats a la lexicografia: vegeu Casanova 1991) a les llistes de Ros, en la seva *Valencia antigua y moderna* (ed. pòstuma, «Acción Bibliográfica Valenciana», Valencia 1923-1924) (n'hi ha que són primeres documentacions: *reganyada* 'coca prima', *talló* 'talladeta', *esquer* 'tabaquera') i va publicar sengles catàlegs d'ocells i de peixos amb informació de primera mà: *Catálogo y descripció d'els pardals de l'Albufera de Valencia* (Valencia 1795) i *Catalogo d'els peixos, qu'es crien, e peixquen en lo Mar de Valencia* (Martin Peris, Valencia 1802; ed. facsímil conjunta, *Pardals i peixos*, «Lletra Menuda», Sueca 1972). Es conserva a la biblioteca de Montserrat un inèdit *Vocabulario de tres lenguas, Mallorquina, Española y Latina*, dels mallorquins **Antoni Oliver** (1711-1787), **Josep Togores** (1767-1831) i **Guillem Roca** (1742-1813), que va donar a conèixer Josep Massot (1970) amb àmplies mostres: es tracta de simples equivalències sense més dades i és obra en part dependent del diccionari de l'Academia Española; en canvi és important per a la llengua viva i popular del moment (detalls a C-S, pp. 125-126, i M-S).

7. EL SEGLE XIX

Generalitats

7.1 La nostra lexicografia moderna s'origina, pràcticament del no-res, en el segle XIX, i, com és lògic, la desorientació i les vacil·lacions li són inseparables. Com a notes característiques indicarem les següents:

a) En general, les tres grans zones dialectals on es produeix lexicografia (Illes Balears, País Valencià i Catalunya –no hi ha res a la Catalunya francesa, però v. § 8.3–) es desconeixen mútuament (a les Illes, fins i tot una illa desconeix l'altra), tot i que C-S (p. 143) matisen molt l'afirmació respecte als diccionaris de Catalunya. També caldrà atenuar-la en el cas de certs lexicògrafs valencians com Llombart i Martí Gadea (Colomina 1991, pp. 149 i 152).

b) El diccionari de l'Academia Española serà guia universal (no sempre única) dels de la nostra llengua: s'ha de tenir en compte que el castellà serà anomenat per gairebé tothom, potser més per rutina que per convicció, «nostre hermós é incomparable idioma nacional» (Labèrnia 1839, «Prolech»; v. § 7.3).

c) La traducció castellana sempre és present (la llatina ja només en alguns casos) en la nostra lexicografia. De fet, la majoria de diccionaris del segle XIX (gairebé) només pretenen afavorir i difondre el castellà: el català és un mer instrument. Algun estudiós ha volgut atenuar el rigor d'aquesta afirmació (vegeu el cas del diccionari d'Esteve-Bellvitges-Juglà, § 7.2). Nosaltres estem plenament d'acord amb l'opinió d'Emili Casanova (1990) que la finalitat d'introduir el castellà en les nostres comunitats era essencial i primària en la majoria de productes lexicogràfics (i no sols estrictament lexicogràfics: v., per exemple, I, §§ 1.4 i 1.10) d'aquest segle (*grosso modo*, n'exclouríem l'obra de Labèrnia i els treballs que estudiem al capítol 8). Els treballs dels números 11 (1991) i 12 (1992) de la revista *Caplletra* són tots de la mateixa opinió.

d) Els castellanismes figuren de manera *natural* a les nostres compilacions: ningú no els qüestiona (més aviat tot al contrari) fins al tombant de segle ni ningú no emprèn una tasca de depuració de la llengua perquè gairebé ningú no estava preparat per fer-ho: a les primeres temptatives s'ignora el fenomen dels cultismes, que s'interpreten i es rebutgen com a castellanismes (sobre aquest aspecte vegeu ara Carreté 1990 i Martines 1993).

Principat de Catalunya

Obres majors

7.2 El *Diccionario catalan-castellano-latino* (Tecla Pla, Barcelona 1803-1805, 2 vols.; al vol. 1 hi figura la data de «1830» per lapsus evident; potser una altra tirada d'aquest vol., 1840: v. M-S) fou la primera obra editada i una de les millors: «un cappare de la moderna lexicografia catalana» i «el punt de partença de tota aquesta lexicografia» (C-S, pp. 144, 150), tot i que falta fonamentar en detall la darrera afirmació. Hi figuren com a autors **Joaquim Esteve** (1743-1805), **Josep Bellvitges** («Belvitges» al llibre) i **Antoni Juglà**, però és obra principalment de **Fèlix Amat** (1750-1824), amb la col·laboració d'altres (Ignasi Torres Amat, Francesc Mirambell): detalls aclarits per fi a C-S 127-135, 144-148.

Macrostructura. Diccionari general trilingüe, amb voluntat clara de recuperació de la llengua (extrem posat en dubte fins a C-S; vegeu també el que diem al § 7.1*c*) i de recollida de «las voces y locuciones ó frases de uso mas regular y freqüente» («Prologo»); inclou a més «algunas voces antiquadas» i dialectals, que van assenyalades amb les indicacions «ant[tiquada]» (*an* 'any', *cincanyal, corema, duyt, femna, illa, incarnació, momo* 'llatí MIMUS', *rajol, surs* 'prep. fins': no totes ben qualificades), «territ[orial]» (*asclar, coa, rautar* 'rascar'); hi trobem abundants castellanismes sense discriminació que afecten mots més o menys tècnics: *apreto* «aprieto», *arrimo, asco, cuydado, empleo, fecundo, feo, globo, júbilo, sustento, zutano*; *cilindro, cinamomo, corintio, ébano, ecónomo, febrífugo, golfo* (nom), *interval-lo, retrato*; *apretar, colxa, crusar, fiel, golosína, mallograr, manada, menospreci, perabé* «parabién», *percebir*; hi ha també, com hem dit, paraules tècniques (*hexaedro*, *hipérbaton*), i inclou els homònims en una sola entrada. No esmenta fonts (però vegeu C-S, pp. 130, 133).

Microstructura. Informació categorial, diacrònica, diatòpica i tècnica; defineix les paraules (en català) en general només quan hi ha diverses accepcions («hoste s. m. qui acull á altre. *Huésped.* Hospes. / hoste, qui posa en casa d'altre. *Huésped.* Diversor.»); inclou derivats i compostos (*hònra* - *hònradament* - *hònradíssim* - *hònrar* - *hònrat* - *hònros* - *hònrosament* - *hònrosíssim*: sistema d'accentuació peculiar i vacil·lant), recull variants gràfiques o formals (degudes a la manca de fixació de la llengua: *ánac/-ec*, *asbalayr/esbalair*, *cero/zero*, *ra(t)lla*) i sentits metafòrics. Un dels valors principals de l'obra està en la gran abundància de fraseologia, de modismes (a l'article *fer*: *fers'á la finéstra* 'guaitar per la finestra', *fer tornas* 'cast. cundir'; a l'article *cop*: *cop de gent* 'gentada', *fér cop* 'causar sensació'; a l'article *fil*: *passar á fil d'espasa* 'degollar') i refranys (vegeu: *caball*, *cap*, *dona*, *menjar*, *Père*): caldria estudiar i sospesar aquest material. L'obra té 848 pàgines en foli i a dues columnes. Extensió que tenen algunes entrades, en nombre de columnes: 16 *fer*; 9 *anar*, *donar(se)* i *posar*; de 3 a 4 *cap*, *ma*, *mal*, *pérdrer*, *portar*; de 2 a 3. *cop*, *córrer*, *déxar* «deixar», *die* «dia», *dir*; 1 *ase*, *botg* «boig», *caball*, *corona*, *dret*, *fil*, *home*, *mès*, *rahó*, *sol*.

7.3 Però l'obra lexicogràfica més important del segle, i la més sòlida fins a Fabra, és la de **Pere Labèrnia** (1802-1860), valencià instal·lat a Barcelona: el *Diccionari de la llengua catalana ab la correspondencia castellana y llatina* (V. Pla, Barcelona 1839-1840, 2 vols. de 24 cm, 2028 p. de diccionari; [2]1864-1865, [3]1888-1892; altres versions més enciclopèdiques; diccionari invers, ... *de la lengua castellana con las correspondencias catalana y latina*, J. M. de Grau, Barcelona 1844-1848, [2]1861, [3]1867; detalls a C-S 155-156 i a M-S; citem per la primera obra). Es tracta d'un diccionari general trilingüe a què l'autor es va dedicar intensament durant divuit anys, i la finalitat del qual és «presentar la llengua catalana tan vasta y rica com he sabut concebir», amb el seu lèxic «brillant, complet ab tota la integritat y propietat que li eran característicasȝ» en la seva edat d'or, i buscar-li la relació exacta amb el castellà i el llatí («Prolech»).

Macrostructura. Conté el lèxic general, amb abundància de tecnicismes (no sempre marcats: *agiotatge*; augmentats en edicions successives), paraules «territorials» (sense precisió de lloc: «canyó. ter. Gargamella»), veus antigues (*pertir* 'partir', *aglats* 'aguait', *agment* 'augment', *enravironar* 'circuir', *plavirse* 'servir-se d'alguna cosa', *pobrea*: no totes fiables) i algun nom propi («Maria. f. Nom dulcíssim de la Mare de Deu y Senyora nostra»). L'ordenació és alfabètica; els homònims es presenten sota un sol lema, amb les accepcions ben distingides. Pel que fa a barbarismes, no hi ha cap esment del problema: recull, doncs, com tothom, els termes que troba o que adapta (*agrado*, *carinyo*, *cardo santo*, *contento*, *cuydado*, *gasto*, *lucro*, *luego*, *moribundo*, *párroco*, *perspicuo*, *pla(s)so*, *plinto*, *plomero*, *reflexô*, *reflúxô*, *soneto*, *sonoro*, *sopetó*, *terceto*, *termómetro*, *terco*, *tomo*, *tonto*; *agoviar*, *atolondrar*, *atontar*, *desempenyar/-nyo*, *ensalsar*, *mármol*, *pleyt*, *regositg*, *tonelada*).

Fonts. Indicades amb força detall al pròleg: el Nebrija català, Pou, Font, Torra, Lacavalleria (1696), Esteve-Bellvitges-Juglà; documents i llibres; diversos diccionaris castellans i llatins; consulta a molts col·legues, etc. (no esmenta Ros, ni M. Ferrer, v. §§ 6.1 i 7.5).

Microstructura. Redacció catalana, informació de categories i de femenins. Definicions ben aconseguides (en general, paràfrasis del mateix valor funcional que el lema; de vegades, definicions més enciclopèdiques). Molta riquesa de fraseologia (*caure tot plegat* 'caure aplomat, esfondrar-se'; *á tot pler* 'a pler', *á tolla* 'cast. de golpe y zumbido') i de refranys (vegeu *agradar*, *ma*, *lladre*, *pler*: «Feu plers á bestias y vos tiraran cossas»). Abundants variants gràfiques i formals (l'autor no creu que hagi d'intervenir en aquest aspecte: *agoytar/aguayt-*, *assaig/ensaig*, *collir/cu-*, *enternir/enternisar/entendrir*, *lamentar/lla-*, *livell/ni-*, *maró(r)*, *parol/per-*, *pendre(r)*, *pledeyar/-jar*, *tomaca/-ata/-átech*, *tolirse/toll-/tul-*, *tombarella/tombo-*); derivats (*tolerable/-ablement/-ancia/-ant/-antisme/-ar/-at*; *agradabilíssim*, *pobrás*), i una mica d'informació sobre nivells de llengua.

Es tracta d'una obra fonamental per a tota la lexicografia posterior, per la qual cosa caldrà estudiar-ne monogràficament els diversos aspectes (sobretot la procedència de les veus i la seva transmissió posterior, a l'estil del que féu Gulsoy amb Sanelo, v. § 6.3). Completa la segona edició de l'obra el *Diccionari suplement de tots los diccionaris publicats fins ara de la llèngua catalana* (Germans Espasa, Barcelona 1868); «Redactat per una societat de literats» (com la 2a ed. del bàsic, amb Robert Robert (1830-1873) al capdavant: C-S 155) i «Revisat en la part científica per D. Antoni C. Costa» (1817-1886), autor també d'altres treballs lexicogràfics (v. M-S).

7.4 Simultàniament a l'anterior, aparegué, anònim (C-S, p. 162), el quintilingüe *Diccionari catalá-castellá-llatí-frances-italiá* (Joseph Torner, Barcelona 1839, 2 vols. de 24 cm, 2200 p. de diccionari). Després n'aparegué la versió inversa, ... *castellano-catalan-latino-francés-italiano*, a nom de (**Miquel Anton**) **Martí** (?-1864), (**Lluís**) **Bordas** (1798-1875) i (**Joan**) **Cortada** (1805-1868) (A. Brusi, Barcelona 1842-1848, en 3 vols.; citem per la primera publicació).

Es tracta d'una obra sorprenentment semblant a la de Labèrnia en tècnica (el quintilingüe fins i tot es planteja i explicita la forma d'introduir la fraseologia: vegeu Haensch et al. 1982, pp. 503-508), contingut i extensió: els models comuns no catalans, que són el diccionari de l'Academia Española (C-S 162), el de Núñez de Taboada (pròlegs de Labèrnia i del quintilingüe invers) i segurament altres, poden explicar una part de les coincidències; altres de més sorprenents s'expliquen per l'Esteve-Bellvitges-Juglà: les tres obres donen, com a «antiquades» i amb equivalents idèntics, certes veus inexistents o que no són catalanes o que no són antigues sinó dialectals: *aglats*/aguait, *agolejar*/igualar, *agoytar*/aguaitar, *agradatge*/agrado, *agradir*/agrair, *canz*/cant, *capana* ó *capanna*/cabanya; Labèrnia dóna *tomanyus*/tomany 'ximple, poch expedit', el quintilingüe dóna *tomanyas*/tomany 'ximple, poc expedit' i Esteve-Bellvitges-Juglà *tomanyus* [llegiu *tomanyús*]/tomany 'simple, poc expedit'. El quintilingüe pretén millorar en precisió, riquesa i genuïnitat l'Esteve-Bellvitges-Juglà, i també omplir el buit d'equivalències franceses i italianes (tenint com tenia Catalunya tant de comerç amb França i tanta afició a la poesia italiana, diuen els autors).

Com hem indicat, la primera part d'aquesta obra va aparèixer anònima: però C-S (p. 162) han trobat un document que els permet d'afirmar que la «Societat de catalans» que dóna la cara estava composta per Salvador Estrada, Antoni Matamala, Ferran Patxot, Joan Cortada i Lluís Bordas. Dos d'aquests autors continuaran la feina amb l'invers («Terminada ya la publicacion de la primera parte [...], emprendemos la segunda con nuevo aliento y sin otra variacion que la mejora tipográfica», ens diuen al pròleg d'aquest). La data de la primera obra és 1839, però C-S afirmen que la portada aparegué amb l'últim fascicle i que «l'empresa sembla que és força anterior». De tota manera, hi afegim nosaltres, és difícil d'explicar com és que tots dos volums porten la mateixa data. Un altre misteri, més petit, és que a la part inversa no esmentin el Labèrnia. El diccionari quintilingüe no ha estat estudiat ni aprofitat fins ara: es va acceptar que el Labèrnia era *el* diccionari de la Renaixença per excellència, com l'Esteve-Bellvitges-Juglà era *el* de la pre-Renaixença, i no s'ha avançat més en aquesta qüestió.

Obres menors

7.5 El mercedari **Magí Ferrer** (1792-1862) es proposa de confeccionar una obra manejable i econòmica: sense el llatí, que ja no interessa, però amb moltes equivalències en castellà (per a *graciós* dóna *gracioso, jocoso, resalado, gaitero, florido, festivo, saleroso, razonado, solemne, chistoso, burlesco, chusco, mímico, venusto, mono, salado, galante* i *alegrador*); sense més definicions-acotacions que les imprescindibles en casos d'ambigüitat i sense paraules antigues (les d'Esteve-Bellvitges-Juglà no ho són sempre, diu amb raó). (L'autor ens explica que abandonà una redacció més ambiciosa, més de «diccionari», de l'obra, que no sabem si es conserva.) L'obra té dues parts: *Diccionario manual castellano-catalan* (anònim, amb les inicials F.M.F.P. y M.M., Pablo Riera, Reus 1836; Barcelona [2]1847, ja nominal) i *Diccionario catalan-castellano* (nominal, Pablo Riera, Barcelona 1839, amb refranys al final, edició per la qual citem; [2]1854). Sembla feta amb bona tècnica i de manera competent i és comparable, en macrostructura i en microstructura, al de 1803-1805: Ferrer només a posteriori consulta aquest diccionari, per tal de no acumular «imperfecciones y faltas» en el seu, ens diu.

7.6 Va tenir un èxit inexplicable i potser va arraconar l'anterior (senyal de la poca exigència del públic, que no ha pas augmentat gaire fins avui) un altre manual, francament tèrbol i mal orientat, el *Diccionario manual, ó vocabulario completo de las lenguas catalana-castellana* (Estévan Pujal, Barcelona 1851), amb el seu invers (1852), de **Santiago Àngel Saura** (1818-1882), que conegué diverses reelaboracions, canvis de portada (donats com a edicions) i fins i tot pillatges fins al 1911 (detalls a M-S). Per economia d'espai suprimeix una gran quantitat de paraules o accepcions més o menys semblants, paral·leles o deduïbles (a parer seu): amb aquest procediment, l'existència de l'article «Rígido. Rigurós. *Riguroso*» (del *catalan-castellano*) ens informa que els adjectius «catalans» *rígido* i *rigurós* equivalen al castellà *riguroso*; però en canvi, no sabem si existeix «també» (!) en català un *rígido* equivalent al castellà *rígido* (de fet, a l'invers trobem: «*Rigido*. Rigurós, sever»): en teoria, un «*Rígido*. Rígido» cat.-cast. o cast.-cat. estaria exclòs. Aquest últim diccionari ha estat utilitzat en alguna compilació històrica; el de Magí Ferrer és tan sols un nom en els repertoris bibliogràfics, malgrat que hi ha alguna dada interessant, com ara la primera documentació de *diumenger* (traduint el *dominguero* castellà) (obra de 1836/1839), que no torna a aparèixer fins al quintilingüe invers (1842) i no sabem si és paraula inventada (en castellà es troba enregistrada almenys des de 1732, encara que només amb el significat 'lo que pertenece al Domingo, ò se usa solo en este dia', *Diccionario* [de autoridades] *de la lengua castellana,* Real Académia Española, Madrid).

País Valencià

Obres majors

7.7 La primera obra d'aquesta part del domini lingüístic és l'*Ensayo de un diccionario valenciano-castellano* (J. Ferrer de Orga, Valencia 1839; [2]1842) de **Lluís Lamarca** (1793-1850), vocabulari d'unes mil veus o accepcions usuals a València, però d'equivalència castellana poc paral·lela o coneguda; sense indicacions gramaticals ni definicions (quan l'autor ho creu oportú hi posa explicacions més o menys breus en castellà: «Bolcada. Envoltura. – (*La de lujo que suele disponerse para la criatura que ha de nacer.*) Canastilla», «Enfullar (*los naipes*). Empandillar», «Llesqueta (*la rebanada de pan que suele freirse junto con el lomo, tocino, &c*). Picatoste»), però amb algunes frases («Fer *chechines*. Hacer añicos») i refranys; bon complement de Ros (v. § 6.1), amb el principal valor de la fiabilitat. Adopta una ortografia castellanitzant, però sovint indica la qualitat de les vocals *e* i *o*. (Més detalls a Casanova 1990*a.*)

7.8 Més important, i no precisament per mèrits lexicogràfics, va resultar el *Diccionario valenciano-castellano* (J. Ferrer de Orga, Valencia 1851; canvi de portada, 1871, que figura com a 2a ed.) de **Josep Escrig** (1791-1867), primer intent de recollir el lèxic general valencià. Escrig es proposa fomentar el coneixement del valencià i l'accés al castellà.

Macrostructura. El contingut de l'obra és el lèxic valencià comú, amb inclusió de variants de dialectes de la mateixa regió, de paraules antigues (ni les unes ni les altres no van marcades) i d'uns quants noms de persona. Una part molt important de les noranta mil entrades de què es vanta l'autor són, però, lexemes o formes inexistents en català, la majoria «adaptades» amb més o menys habilitat i més o menys variants del seu model, que és el diccionari de l'Academia Española. Vegem-ne una mostra: *acarréig/acarrèu* 'acarreo', *ahog* 'ahogo', *ahullít* 'aullido', *còlja/colja* 'colcha', *facènda* 'hacienda', *fiám/fiámbr* 'fiambre', *hurá/hurany* 'huraño', *lint* 'lindo', *loch/loco* 'loco', *lòr/lor/lorít(o)* 'loro', *luig/lujo/lux/luxo* 'lujo'. «La costumbre ha valencianizado, dígase así, la mayor parte de las voces de la lengua castellana, y esto me ha movido á adoptarlas en [...] este Diccionario», diu (p. XI), prenent el resultat de la seva feina com si en fos la causa. I una altra quantitat infinita d'entrades s'obtenen a base d'acollir al diccionari totes les variants morfològiques o gràfiques existents o imaginables: *familiarét...*, *familiaritát...*, *familla...* (fins a 24, i no inclou *família*; el *DCVB* en porta només 11, i 5 el diccionari normatiu actual); «*seça/sèççal/sèsal/sèssa*. Ciudad, Villa ó Lugar», paraula fantasma; *acabader(o)/acabaher(o)*. Hi ha, encara, una altra mena de material imprevisible: «*'Sbatli'stés, sa*. adj. Espalditendido», un altre fantasma; «*S'havém*. Nos hemos» (és a dir, «ens havem»), «*Sibé'l*. Si bien él», «*Sibéll, lla*. adj. Así hermoso ó bello, así sa ó, etc.» (*sic*), tot voluntàriament (cal suposar) mancat del més mínim control. El volum material de l'obra serà un dels objectius de tots els lexicògrafs valencians d'aquest segle (Gulsoy 1964b, 140). Les *fonts* d'Escrig són l'Academia Española, Ros (v. § 6.1), Fuster (v. § 5.3) i Lamarca. Colomina (1991, p. 149) creu que consultà també Labèrnia (§ 7.3).

Microstructura. Només rarament i amb criteri no aclarit indica la categoria gramatical (a «*Acallát, llá, da*. Acallado, da» li segueix «*Acallát, llá, da*, adj. Acallado, da», etc.). Sense definicions però amb alguna indicació (en general, en castellà) en el cas de diverses accepcions; usa i abusa d'indicacions com «etc.», «en dos/varias/algunas acepciones» («*Acediós, sa*. Acedo, da, en algunas acepciones»). No hi ha exemples ni altra informació sintagmàtica, però sí alguna frase («de *mandró*» = «de bòn *braç*» 'con toda la fuerza del brazo levantado'), algun refrany, la indicació (no sistemàtica) de la qualitat de les vocals *e/o* i alguna indicació tècnica com les següents: «ave», «yerba», «instrum. músico». Escrig, «el repertori més tèrbol que puguem imaginar» (C-S, p. 170), marcarà tota la lexicografia valenciana posterior. Colomina (1991, p. 141) reclama, però, un estudi sistemàtic de l'autor abans de fer-ne un dictamen tan negatiu.

7.9 Constantí Llombart (1848-1893) reelaborarà en part i ampliarà aquesta obra (mateix títol, Pascual Aguilar, Valencia 1887), i hi afegirà material enciclopèdic, refranys, modismes (vegeu, *cas* i *casa*), vocabulari heràldic, veus antigues, etc. (ara tot més ben indicat); amb categories gramaticals, definicions sistemàtiques i més ben ordenades, amb algun control tímid de veus i formes (elimina *S'havém*, *Sibé'l*, etc., però no *Sibéll*, etc.), bé que està sotmès al diccionari de l'Academia Española, «el mayor defecto de su obra» (Gulsoy 1964*b*, p. 139). En millora l'aparat material i dóna una llarga llista de fonts, de manera que «la edición de Llombart incluye, directa o indirectamente, el contenido de la mayoría de las recopilaciones valencianas hechas hasta su época» (Gulsoy 1964*b*, p. 138). Una de les fonts de Llombart fou el diccionari encara inèdit de Font i Piris (v. § 7.15).

7.10 El *Diccionario general valenciano-castellano* (*Novísimo...* a la tapa; José Canales Romá, Valencia 1891) de **Joaquim Martí i Gadea** (1837-1920) serà l'últim i el més extens (amb pretensions de ser el més complet, p. VIII) del segle. Basat també servilment en el de l'Academia Española, elaborat amb la mateixa manca de competència i de criteri que els anteriors (també enregistra «las voces valencianas de cuantas maneras las vemos escritas» o les creu possibles: *abadeig/abadejo/aba(h)ejo*, *aboleng(o)/abolench/abolòng*), les quals allarga o escurça al seu gust, «es també un recull de mots fantasmes, entre els quals el lexicògraf pot espigolar força notícia valuosa» (C-S, p. 171), perquè l'autor, a pesar de tot, coneixia bé el fons popular de la llengua (Colomina 1991, p. 158, el considera «precursor de la dialectologia valenciana»). Algun dia caldrà estudiar detingudament aquesta obra i les anteriors, fent l'esforç de situar-se en el seu temps i en el seu ambient i mirant de descobrir l'origen o la motivació real i profunda de cada veu fantasma o adaptada: a l'estil del que féu Gulsoy (1964*a*) amb el diccionari de Sanelo (v. § 6.3). Martí Gadea publicà també un petit *Vocabulario valenciano-castellano en secciones* (López y Cía, Valencia 1909), paral·lel al de Rosanes (v. § 7.14), però amb materials nous (Colomina 1991*b*, p. 154).

Obres menors

7.11 Als últims anys la lexicografia valenciana ha començat a ser estudiada amb entusiasme i competència pels especialistes conterranis, els quals reivindiquen una aproximació més específica a les circumstàncies de l'època i una valoració més sistemàtica de tots els autors (vegeu Alpera 1991 i Colomina 1991). Tot seguit donarem compte breument dels principals autors secundaris.

7.12 Hi ha unes inèdites *Voces castellanas y su equivalencia en valenciano* d'un autor que s'amaga sota les inicials C.M.G., de 1825 (Alpera 1991, p. 55, que en té notícia a través d'Emili Casanova).

7.13 El prestigiós filòleg **Vicent Salvà** (1786-1849) va fer un resum de la seva gramàtica major per a ús de lectors més modestos, *Compendio de la gramática castellana* (Mallen y sobrinos, Valencia 1838: VII + [1] + 103 pp.; altres dues eds. de 1838; Moessard, Paris, i Mallen y Sobrinos, Valencia: VII + [1] + 128 pp.). En la segona de les edicions de València esmentades hi ha «un apéndice muy útil para los niños de la provincia de Valencia», de 22 pàgines, que en detall comprèn la matèria següent: «Vicios de los valencianos al pronunciar las palabras castellanas» (pp. 108-109); «Palabras que ó no son castellanas, ó están algo corrompidas, ó no significan lo que muchos valencianos creen» (pp. 109-117); «Vozes castellanas que pueden rezelar los valencianos que no lo son» (pp. 117-120); «Faltas contra la gramática castellana en que incurren con frecuencia los valencianos» (pp. 120-122); «Lista de algunas vozes castellanas que no es fácil ocurran á los valencianos, para quienes se ponen las correspondencias valencianas á continuacion» (pp. 123-126); «Vozes valencianas que ignoro tengan una correspondencia exacta en castellano» (pp. 126-128). Ens consta que l'apèndix es troba també en una ed. de 1844 (vegeu Marcet-Solà). Casanova (1990) publica aquest apèndix (no diu de quina ed.) i el situa dins la seva època. Vegeu-ne mostres també a Solà (1991, p. 69).

7.14 **Miquel Rosanes** (v. I, § 1.10) va incloure un «Vocabulario valenciano-castellano, dividido en grupos para facilitar la memoria de las palabras en él contenidas» en la seva *Miscelánea que comprende 1º Un Vocabulario valenciano-castellano. 2º Apuntes para facilitar la enseñanza de la gramática en las escuelas de las poblaciones de esta provincia en que no se habla la lengua castellana* (José María Ayoldi, Valencia 1864 [per error, «1964»]; pp. 5-69; reproducció fotogràfica a *Quaderns de Sueca*, VII, 1985, pp. 164-180). Vegeu-ne algun detall a Colon-Soberanas, p. 168.

7.15 **Tomàs Font i Piris** (1772-1853) va deixar inèdit un *Diccionario valenciano-castellano* d'uns 10.000 articles. La còpia que se'n conserva és de 1866. Sobre el contingut, l'autor ens diu: «me he contraído solamente a las voces cuya correspondencia castellana es generalmente menos sabida, dexando las anticuadas» (Picazo 1991, p. 101), més o menys com va fer Lamarca. Aquesta obra va servir, com hem dit més amunt, a Llombart en la «tercera» edició del diccionari d'Escrig, i a un parent de l'autor, **Manuel Costa Font** († 1896), per fer un breu i encara inèdit *Vocabulari valencià-castellà* (Gulsoy 1964*b*, p. 136). El mateix esperit i la mateixa finalitat veiem en el *Vocabulario valenciano-castellano* que va publicar (F. Campos, Valencia 1868) **Josep Maria Cabrera**, que no passa d'unes mil nou-centes entrades (C-S 169).

7.16 Un altre inèdit és el *Diccionario valenciano* de **Josep Pla i Costa** (1817?-1890), que ens ha arribat en tres redaccions successives, a la manera del de Sanelo. Consta d'unes 4.400 entrades de «lèxic bàsic dins els àmbits de la vida quotidiana en un ambient fonamentalment rural» i presenta la particularitat que «adapta, oblida, canvia, tradueix, amplia, escurça, afig, corregeix sense gaire por» tot el que li sembla de les seves fonts (l'Academia Española, Lamarca, Escrig i potser el ms. de Font i Piris) (Martines 1991; altres detalls a Martines 1990 i 1993).

7.17 **Lluís Fullana** (v. I, § 1.16) va publicar un *Vocabulari ortográfic valenciá-castellá* (València 1921) que des del punt de vista lexicogràfic es basa «quasi exclusivament en Martí Gadea» i per tant és una «obra filològica endarrerida» (Simbor 1992, p. 53); de fet és «el darrer lexicògraf del XIX» (Casanova 1989, p. 441).

Illes Balears

7.18 La primera obra lexicogràfica publicada a les Illes Balears fou el *Diccionâri mällorquí-castëllâ* (sense diacrítics a la portada; Esteva Trias, Palma 1840, 626 pàgs. en foli, a dues cols.) de **Pere Antoni Figuera** (1772-1847), obra voluminosa però deficient, de finalitat no explicitada.

Macrostructura. L'autor pretén recollir el lèxic mallorquí habitual (tot i que se'n deixa bastant, C-S 176) amb fidelitat absoluta a la pronunciació vulgar (que el filòleg actual agraeix profundament: *palatjar* «palejar»; hi ha *cabèy*, però no *cabell*, etc.), i amb aquesta finalitat elabora un complex sistema ortogràfic (exemples extrems: *câbdëllâ*, *vénérâd*). No inclou tecnicismes, però sí que conté algun nom propi i termes cultes més o menys habituals. Afegeix en apèndixs una col·lecció de refranys mallorquins amb traducció, col·lecció «única fins a aquell moment» (Corbera 1984, p. 213), i una derivació del vocabulari de Resa (v. § 5.3), a més d'anotar en el cos del diccionari alguns termes com a «anticuados» (*loa*: alabânsa, *beya*: abëlla).

Microstructura. Redacció en català (amb les mateixes convencions gràfiques dels lemes). Indica les categories gramaticals i els femenins. Fa servir diversos tipus de definicions: relacionals («Panârro, ra. *adj*. El qui menja molt de pâ. *Paniego, ga*»), sinònims, paràfrasis sintàcticament equivalents; sovint indica només: «Côsa (molt) coneguda». Inclou fraseologia abundant (article *uy* «ull»: *á uy*, *á uys clucs*, *aclucar/acalar/badar ets uys*, *fer uy alguna côsa* 'enfonsar-se (un edifici), etc.', *tenir bôyra als uys* 'tenir teranyines als ulls', etc.). No abusa dels derivats (només hi ha els adverbis en *-ment* i els participis), però inclou moltes variants gràfiques (*pâ(l)m*, *vénser/véncer*, *uir/oir*...). Castellanismes (més o menys cultes) a dojo, com és normal en aquesta època (*abridéro*, *aprêcio*, *bârco*, *círculo*, *desapégo*, *halâgo*, *lobuno*, *palatíno*, *pâlo*, *venéno*, *venidéro*; *apressurar(se)*, *atxe*, *clarinéte*, *desapoyar*; però al costat d'*ablatíu*, *abstersíu* 'lo qui purifica', *circunflêcs*..., morfològicament genuïns).

Fonts. A part d'una al·lusió al diccionari de l'Academia Española (p. 5), Figuera no ens diu res de les fonts, però Corbera demostra que també se serví dels de M. Núñez de Taboada (París 1820, 1825). A pesar de les deficiències és «una obra imprescindible per a qualsevol estudiós de la nostra història lingüística» (Corbera 1984, p. 213).

7.19 Més extens i important és el *Nuevo diccionario mallorquin-castellano-latin* (Juan Colomar, Palma 1858-1878, en foli; vol. 1, *A-E*, 737 pàgines efectives; vol. 2, *F-Z*, 590 pàgines i cos de lletra més gros; obra començada i abandonada el 1841) del també gramàtic **Joan Josep Amengual** (1793-1876; v. I, § 1.4). Amengual es proposa confeccionar «un diccionario extenso» «que fijando é ilustrando aquella [la llengua mallorquina], coadyuve á generalizar entre nosotros estas dos [la castellana i la llatina], cuyo conocimiento nos es indispensable» (p. [4]).

Macrostructura. El contingut de l'obra és «la lengua comun» mallorquina, sense tecnicismes «que todavía no han entrado en el lenguaje comun» (p. [4]); inclou noms propis (*Lopes*, *Alcides*, *Llacze* «Llàtzer») i geogràfics de l'illa, amb molta informació folklòrica i enciclopèdica (*Alcudia* hi ocupa 3 cols.).

Microstructura. Escrit en castellà, amb informació de categories i femenins. Definicions tretes de les tres fonts que direm tot seguit. Sense exemples, però amb «un rico caudal de refranes [,] voces [,] locuciones y frases, seculares, antiguas, [...] pero no anticuadas» (p. [4]). També inclou variants (i prefereix informar cada vegada en comptes de remetre a una altra entrada) i el seu sistema ortogràfic (menys refinat que el de Figuera) ens acosta força al parlar popular. Pel que fa a barbarismes, no hi ha res a afegir ni a treure del que hem dit per a tots els autors del segle XIX (*apuro*, *lívido*, *loco/loquecjar...* [10 termes], *luego*, *raro*, *raudo*, *secso* «sexo»; *alcansar*, *alcantarilla*, *dádiva*, *desacat* «desacato», *labia/llabia*, *lance*, *raudal*; i la *j* castellana convertida en [k], fenomen normal en català fins fa poc: *aquedrés* 'ajedrez', *elicar* 'elijar', *luco* 'lujo'; però *alojar* 'alojar', on Figuera dóna *alocar/alocâd/alojâd*). El segon volum és molt més fluix i breu que el primer, sobretot al final (*anar* té 251 línies; *ase*, 218; *posar(se)*, 23; *rahó*, 18; *uy*, 16, i *sol* 'sueldo/sol/solo', 6): hem de pensar que és una obra inacabada.

Fonts. Es val de l'Academia Española, «de otros diccionarios castellanos y latinos», i sobretot de Núñez de Taboada i de Vicent Salvà, com diu ell (p. [4]) i demostra Corbera (1984). En canvi, «no es va inspirar en cap dels diccionaris catalans publicats anteriorment [...] ni [en] l'únic que havia aparegut a Mallorca, el de Pere A. Figuera» (Corbera 1993, p. 42). Prescindint dels defectes apuntats, Corbera en fa grans elogis: és «un vertader diccionari fet amb rigor lexicogràfic; d'aquella època, això sí», «el millor de tots els publicats a Mallorca al segle passat i que és, sense cap casta de dubte, a l'altura del de Labèrnia» (1984, p. 213; v. § 7.3); a part que aquests dos volums «inclouen un tresor lèxic i cultural sense concurrent a la nostra illa dins tot el segle XIX, i són només superats modernament pel Diccionari d'Alcover i Moll» (1993, p. 43).

7.20 D'Amengual (de qui no esmenta ni la gramàtica, 1835, ni el primer diccionari) va agafar l'ortografia i de Figuera el 90% del contingut (per al castellà va seguir «estrictamente», p. VI, l'Academia Española) un *Diccionario manual ó vocabulario completo mallorquin-castellano* (V. de Villalonga, Palma 1859) que firmen «**Unos amigos**»: simple vocabulari, amb definicions (en castellà) en «las voces cuyo significado pudiera tomarse en dos ó mas sentidos», que deuen ser d'un 20 a un 25% (també aquí és normal *arrocar/-co* 'arrojar/-jo', etc.). Un altre anònim, firmat per «Un mallorquí», que els estudiosos identifiquen amb **Josep Tarongí** (1847-1890), és un *Diccionari mallorquí-castellá* que només va arribar fins a la *F*, inclosa (Bartomeu Rotger, Palma de Mallorca 1878), de títol i de pretensions semblants al d'Aladern (v. § 9.1) (es proposa de recollir tota la llengua antiga i moderna, amb tota la riquesa dels dialectes, veus tècniques, etc.), però de resultats força irregulars. Aprofita la tradició lexicogràfica autòctona (especialment Labèrnia, v. § 7.3, i Amengual) i se serveix d'alguna font enciclopèdica castellana que Corbera (1984) ha identificat. Està redactat en català.

7.21 Esmentarem també els *Apuntes para un vocabulario etimológico mallorquín* (Hijas de J. Colomar, Palma 1899), d'**Ildefons Rul·lan**, que són una barreja d'obra etimològica, comparativa (addueix les equivalències castellanes, italianes, franceses i portugueses), enciclopèdica (una arrel serveix per atreure tota mena de notícies històriques, lingüístiques o etnològiques) i ideològica; d'ideològica ho és en un sentit tan ampli que desborda qualsevol previsió: l'arrel *AC* 'extremidad, filo, corte' el porta a les eines de *filo*, i aquestes li recorden la resta d'eines; de les de *filo* passa a les de *corte* i a les de *punta y corte*; d'aquestes als *órganos cortantes y punzantes* com dents, banyes i becs, i d'aquests als animals que en tenen; i així es pot arribar a *extremo*, *festón*, *orla*, a *pirámide* i *minarete*, a *capuchón* i *flámula*, a *pelo*, *pluma*, *nariz* i *moño*, a *raíz* i *zanahoria* o a qualsevol racó del diccionari i del món. Tenim finalment les «Voci di origine araba nella lingua delle Baleari» (*Actes du XIIè Congrès des Orientalistes* [Roma 1899], Florence 1902, pp. 1-56) de l'Arxiduc **Lluís Salvador d'Àustria** (1847-1915), un dels primers treballs en aquest terreny.

7.22 A l'illa de Menorca, l'erudit i també gramàtic **Antoni Febrer i Cardona** (1761-1841; v. I, § 1.2) deixà inèdit i no totalment enllestit, a principi de segle, un *Diccionari menorquí-español-francês-llatí*, que conté materials de gran valor dialectal i històric pel fet de ser tan primerencs. No en coneixem les fonts autòctones i C-S (p. 175) suposen que devia disposar del repertori de Terreros. **Josep Hospitaler** (?-1873?) féu dues aportacions de primera mà per al mateix dialecte: un *Vocabulario castellano menorquín y viceversa* (però sense viceversa, Miguel Parpal, Mahon 1869), llistes d'equivalències agrupades per centres d'interès, seguides d'unes pàgines de proverbis i modismes, en les quals de fet es reflecteix «tota la vida material i espiritual de Menorca» (C-S, p. 179), i un *Diccionario manual menorquín castellano* (Miguel Parpal, Mahon 1881), vocabulari incomplet (fins a *presumid* o potser només fins al principi de la *o*, segons els autors) però amb força detalls i fraseologia en certs articles. **Joan Benejam** (1846-1922) publicà un *Vocabulario menorquín-caste-*

llano (Salvador Fábregues, Ciudadela 1885; 1906), interessant pels seus «Modismos y frases». Totes aquestes obres són molt poc conegudes pels especialistes. L'esmentat **Salvador Fàbregues** (1841?-1913) és probablement l'autor d'un *Vocabulario trilingüe castellano-menorquín-francés* (Salvador Fábregues, Ciudadela 1902), ordenat també per centres lògics, simple còpia de la primera obra d'Hospitaler i potser de material inèdit d'aquest mateix autor. El *Diccionario menorquín-castellano* (M. Parpal, Mahon 1883-1887) de **Jaume Ferrer i Parpal** (1817-1897?) (v. I, § 1.6) és encara menys conegut que els anteriors, potser perquè el seu autor, per acostar-se a la realitat del dialecte, hi usà una grafia encara més extravagant que la de Figuera (¿qui hi buscarà *captar* en la forma *quettar*, *pastanaga* com a *bestenague* i *cavall* com a *quevall*?). Tanmateix, es tracta d'una obra molt rica i extensa, fins enciclopèdica, i amb «un dels repertoris paremiològics més conspicus que posseïm» (C-S, p. 181).

Altres obres

7.23 Forçats per la brevetat que ens hem imposat, esmentarem altres obres menys influents, sense fer distinció geogràfica. Primerament hem de recordar que en català hi ha una llarga tradició de refranyers i frasaris, des del segle XVIII (Ros, Galiana) fins als nostres dies. A pesar de la importància (lèxica, sintàctica y cultural) que té, és un tema pràcticament verge d'estudis en català (vegeu, ara, Conca 1987, 1988). El segle XIX va produir moltíssimes col·leccions de refranyers-frasaris, que el lector pot consultar al repertori de M-S (índexs de conceptes i d'autors: D.J.A.X. y F., D. y M., Fages de Romà, V. J. Bastús, S. Genís, E. C. Girbal, J. de Orga, J. Pepratx, Fr. Llagostera, A. Roque-Ferrier, J. Benejam, Guibeaud, A. Tallander, D. Boatella-M. Bosch). Posteriorment al segle XIX, tenim un *Assaig de Bibliografía paremiològica catalana* (Llibreria Antiga & Moderna, Barcelona 1915) d'**Antoni Bulbena i Tosell** (1854-1946).

7.24 Les publicacions més importants del gènere són les següents: *Assaig de Paremiologia Catalana Comparada*, vol. 1 [i únic] (Ilustració Catalana, Barcelona 1913) de **Sebastià Farnés** (1854-1939), autor que deixà inèdits molts altres materials que ja han començat a publicar-se: *Paremiologia catalana comparada* (Columna, Barcelona, 2 vols. entre 1992 i 1994, a cura de Jaume Vidal Alcover, Magí Sunyer, Josep Ll. Savall i Josep M. Pujol); *Calendari de refranys* (Barcino, Barcelona 1951) de

Manuel Sanchis Guarner (1911-1981), i el *DCVB* (v. § 8.4), que inclou el repertori paremiològic millor i més complet. La labor de **Joan Amades** (1890-1959), representada pel seu *Folklore de Catalunya. 2. Cançoner* (Selecta, Barcelona 1951), és poc notable científicament; i menys fiable és encara la d'**Antoni Griera**.

7.25 Passant a uns altres terrenys, al segle XIX (i ja al XVIII) hi ha força treballs monogràfics, per exemple, sobre flora i fauna (vegeu en Marcet-Solà, entre altres, noms com: A. J. Cavanilles, J. B. Golobardas, E. Pi i Molist, J. A. Balcells, J^n D^n, A. C. Costa, C. Roumaguere, J. Cisternas, I. Vidal), que haurien de valorar els especialistes. Finalment, entre els vocabularis comuns afegirem els noms següents: A. A. Roca, J. P. Fuster, J. Grases, D. y M., T. Gorchs, D. J. M., T. Izal, J. M. Cabrera, C. M. G., J. M. Bover, D. Boatella-M. Bosch (detalls a C-S i M-S).

8. COMPILACIONS HISTÒRIQUES

La llengua catalana compta amb sis importants compilacions lèxiques de caràcter històric, força diferents entre si: es tracta de les obres d'Aguiló (§ 8.1), Balari (§ 8.2), Alart (§ 8.3), Alcover-Moll (§ 8.4), Coromines (§ 8.5) i Bassols-Bastardas (§ 8.6). Les d'Aguiló, Balari, Alcover-Moll i Coromines, tot i les diferències importants, comparteixen un doble objectiu: recuperar i salvar el nostre tresor lèxic, per una banda, i fer-ho amb voluntat totalitzadora (incloent-hi la llengua de tot el domini, antiga i moderna; i, llevat de Balari, l'onomàstica).

Marià Aguiló

8.1 El mallorquí **Marià Aguiló** (1825-1897), una de les personalitats alhora més entusiastes i científicament més preparades de la Renaixença catalana, recopilà durant moltíssims anys una enorme quantitat de materials als quals no donà forma definitiva i que foren preparats i editats per Pompeu Fabra (1868-1948) i Manuel de Montoliu (1877-1961) respectant-ne molt el contingut i la forma: *«Diccionari Aguiló». Materials lexicogràfics aplegats per Marian Aguiló i Fuster* (Institut d'Estudis Catalans, Barcelona 1915-1934; 8 vols., unes 2500 pàgines a 2 cols.; començat de fet el 1914; ed. facsímil, Alta Fulla, Barcelona 1989). Resumim ara el que diuen els responsables de l'edició al segon «Advertiment» (1915) i l'excel·lent panorama que ofereixen d'aquest diccionari Colon-Soberanas (1986, pp. 187-197). Els materials no estaven redactats, uniformats ni completats amb vista a la publicació: és per això que presenten, fins i tot publicats, «nombroses inconseqüències i omissions» («Advertiment», p. X), a més d'un desequilibri radical intern, qualitatiu i quantitatiu. L'aspecte més lamentable és el caràcter incomplet de les referències documentals, aspecte pal·liable per la confiança que podem tenir en el rigor de l'autor. És, doncs, una compilació de materials més que un diccionari, com adverteix el subtítol. La finalitat de l'obra és salvar el tresor lèxic català i preparar un diccionari general de la llengua.

Les seves *fonts* no s'arriben a explicitar del tot: gran quantitat de textos impresos o inèdits des dels orígens fins al mateix any de la mort de l'autor, incloses obres lexicogràfiques com el Labèrnia (v. § 7.3) i una quantitat no inferior d'informació oral de primera mà.

Macrostructura. El contingut de l'obra és tot el conjunt de la llengua, amb predomini de l'antiga, amb una gran riquesa dialectal i d'onomàstica; en principi no inclou el lèxic més conegut ni els tecnicismes i els neologismes (potser l'autor els hauria acollit en l'última fase, si hagués acabat l'obra ell, cosa ben improbable), però recull algun castellanisme («Aleno per *anhelo* cast. (Mallorca, vulg.)», «Espola (Valencia): esperó»).

Microstructura. No hi ha indicació de categories gramaticals. Pel que fa a les definicions, de vegades n'hi ha (sempre sumàries; en castellà o en català o bé catalanitzades pels responsables de l'edició: «Advertiment», p. IX), altres vegades hi ha sinònims catalans o traduccions castellanes, i unes altres vegades la informació és esquemàtica («Anjoví: d'Anjou», «Annua pensió (XVII)», «Anoçient (XIV, XV): no a sabiendas», «Anoll, llin. Berga, XVIII»). De vegades hi ha exemples d'ús, frases i refranys. Com és versemblant en aquest autor, les variants geogràfiques i formals hi són en gran quantitat (*axella/e-/aix- /ayx-/xella*). És encara avui una obra de primera importància (a causa del rigor de l'autor, pel fet que algun dels documents citats ha desaparegut, etc.), però amb nombrosos problemes pel seu estat (alguna vegada no és fàcil de distingir l'aportació de l'autor de la dels preparadors, etc.).

Josep Balari

8.2 Josep Balari (1844-1904), erudit professor barceloní de grec, també féu una pacient i no tan extensa recol·lecció de materials, que igualment deixà inèdits, incomplets i sense forma definitiva. Un dels editors dels d'Aguiló, Manuel de Montoliu, assumí igualment la tasca de publicar aquests amb el mateix escrúpol amb què s'havien editat aquells, però la guerra civil (1936-1939) sorprengué l'obra al final del volum II (la part editada equivaldria gairebé al 50% del total) i sembla que la resta s'ha perdut irremissiblement: *Diccionario Balari. Inventario lexicográfico de* *la lengua catalana compilado por el Dr. D. José Balari y Jovany* (Imp. Elzeviriana y Lib. Camí, Barcelona s. a., però 1926-1936; 2 vols., amb un total de 823 pàgines a 2 cols.). Com en el cas anterior, només Colon-Soberanas (1986, pp. 197-208) han estudiat aquesta obra, i d'ells resumim. La seva finalitat no consta explícitament i devia ser semblant a la d'Aguiló.

Fonts. S'expliciten encara menys que en Aguiló, però són una rica col·lecció de textos antics, moderns i contemporanis (amb atenció especial a Verdaguer), inclosos manuscrits, que l'autor seleccionava i despullava amb molt de rigor. No esmenta cap més lexicògraf que Nebrija (v. § 2.9) i una mica Labèrnia (v. § 7.3).

Macrostructura. El contingut de l'obra és tota la llengua, antiga i moderna (amb especial atenció a la contemporània de l'autor), sobretot l'escrita, sense onomàstica (que reservava per als *Orígenes*: v. més avall). Hi ha gairebé sempre l'equivalència castellana (sovint generosa: «*capficat*: pensativo, triste, cabizbajo, ensimismado, meditabundo, preocupado, mohino, sombrío, taciturno, melancólico, tétrico, absorto»).

Microstructura. No hi ha indicació de categories (llevat d'algun cas) ni, en general, definicions; però la fraseologia, els refranys i les variants formals hi són abundants. La seva importància radica especialment en la riquesa i la fiabilitat de la documentació, que la posteritat erudita no sempre aprofita (per raó, sobretot, de l'estat de l'obra).

Balari publicà o deixà inèdits molts altres materials referits al català i a altres llengües: els inèdits estan enumerats a les p. VIII-IX del vol. 1 del diccionari; Quetglas (1990, pp. 46-49, 49-54), en el primer i excel·lent estudi de conjunt d'aquest autor, reprodueix la llista dels inèdits i dóna tots els editats. Entre els últims cal esmentar la seva obra monumental, si bé resolta de manera poc adequada (v. Abadal 1962): *Orígenes históricos de Cataluña* (Hijos de Jaime Jepús, Barcelona 1899; una altra ed., en tres vols., Instituto Internacional de Cultura Románica, Abadía de San Cugat del Vallés 1964), valuosíssima per a l'onomàstica antiga.

Julià-Bernat Alart

8.3 L'arxiver rossellonès **Julià-Bernat Alart** (1824-1880) invertí molts anys de la seva carrera en la recopilació i edició de documents antics, que va aprofitar per al seu projecte d'estudi històric i etimològic de la llengua. El sorprengué la mort quan els materials d'aquest projecte eren encara molt incomplets i informes: n'hi havia que anaven destinats a un diccionari topogràfic dels Pirineus Orientals; els més rics i nombrosos (unes 14000 cèdules) es coneixen amb el nom d'*Inventari de la llengua catalana*, abasten des del segle IX fins al principi del XVII i procedeixen de textos literaris i sobretot d'arxiu. Els lemes porten sovint l'equivalència francesa, però gairebé mai definicions. Es tracta d'un material molt valuós que algun dia s'haurà d'editar, tot i que no serà gens fàcil. Els erudits l'han explorat més o menys, sobretot Coromines. (Vegeu C-S, pp. 208-210 i Gulsoy 1979.)

El *Diccionari català-valencià-balear*

8.4 El *Diccionari català-valencià-balear* (Impr. de Mn. Alcover/Gràfiques Miramar, Palma de Mallorca 1930-1962; primer fascicle aparegut el 1926; vols. 1 i 2 refets, 1964 i 1968, respectivament; 10 vols., 9.737 pàgs. a 2 cols.), d'**Antoni M. Alcover** (1862-1932) i **Francesc de Borja Moll** (1903-1991), és l'obra més ambiciosa que s'ha emprès al nostre domini lingüístic i potser en qualsevol altre, «una de les creacions lexicogràfiques més importants i més originals de la Romània» (C-S, p. 212), obra de dues persones infatigables, tot i que n'hi van col·laborar moltes altres: més estretament, Manuel Sanchis Guarner (1911-1981) i Anna Moll (1930-). Aquesta obra monumental té per finalitat recollir el tresor lexicogràfic del català de manera *total*, amb totes les seves manifestacions (escrita i oral, erudita i popular, filològica i etnològica, etc.) i en tota la seva història (sense excloure'n lexemes o formes considerats barbaritzants). El títol, científicament sorprenent, respon a motivacions sociopolítiques.

Contingut i forma. Els articles poden arribar a contenir, segons el tipus i la importància del tema, la informació següent (vol. ^{2}1, p. XV-XVII): lema, variants gràfiques, categoria gramatical i gènere, accepcions numerades, definició(ns) (amb la localització geogràfica de cada una, seguida d'exemples de la llengua viva i de documentació ordenada cronològicament, més la traducció castellana), locucions, modismes i refranys, cultura popular (incloses cançons amb música i tot), fonètica detallada de nombroses localitats, variants formals, augmentatius, diminutius, sinònims i antònims, etimologia succinta, il·lustracions gràfiques, paradigmes verbals antics i dialectals, mapes de fenòmens lingüístics.

Fonts. La llengua viva fou recollida per mitjà d'enquestes en unes 300 localitats i amb visites personals a moltes altres, feina realitzada pels dos autors i per una gran quantitat de col·laboradors locals que, a més a més, hi aportaven notícies personals; la llengua escrita es va recollir despullant parcialment o totalment innombrables obres literàries i no literàries, documents d'arxiu i treballs lexicogràfics: l'enumeració d'aquest material ocupa 49 pàgines. Colon i Soberanas, després de recordar que cap obra no pot ser una cosa definitivament conclosa ni un model absolut de perfecció (i menys encara en matèria tan inestable com el llenguatge, ja ens adverteix Moll en el pròleg), n'assenyalen algun aspecte perfectible: estructuració i definició d'articles, referències internes, despullament parcial de textos, poca atenció a algunes zones geogràfiques, poc aprofitament d'Aguiló i Balari. Nosaltres podem augmentar o matisar aquestes observacions de C-S: una de les mancances més clares d'aquesta obra és el poc aprofitament de les obres lexicogràfiques anteriors: a la llista del començament no hi figuren Jacme March, Averçó, Resa, Laguna, Palmireno, Tarraza, Blanco, Exulve, Esteve-Bellvitges-Juglà, Magí Ferrer, Labèrnia (se'n cita una ed. de 1904-1910, que ja no és seva), Martí-Bordas-Cortada, Lamarca, Estorch, Costa (1868), Unos amigos (1859), Tarongí, Rul·lan, Àustria, Hospitaler, Balari (diccionari), etc.; i d'altres no se citen per les primeres edicions: Nebrija, Torra, Amengual, Escrig, Saura, etc.; algunes obres crucials, com les *Regles de esquivar vocables* del segle xv (v. § 9.3), no s'han despullat bé. Alguns inconvenients derivables d'aquestes limitacions es pal·lien amb l'acumulació d'informació de les altres fonts. Les limitacions, però, no fan sinó subratllar el caràcter humà d'aquesta obra increïble, colossal, sostinguda per les espatlles de només dues persones, i que ha esdevingut referència obligada de tots els treballs filològics i obra «indispensable» per a l'erudit, per a l'escriptor en general i fins per a l'home de cultura mitjana.

Joan Coromines

8.5 Fins a l'aparició del *Diccionari etimològic i complementari de la llengua catalana* (*DECat*; Curial, Barcelona 1980-1991, 9 vols.; falta el vol. d'índexs), de **Joan Coromines** (amb la col·laboració de Max Cahner i Joseph Gulsoy), l'única obra amb informació etimològica rellevant (v. *Pal·las*, § 10.4) per a la llengua catalana, a part de les obres generals de filologia romànica i del *DCELC* (vegeu més avall) era el *DCVB* (v.

§ 8.4). L'autor, Joan Coromines, és un erudit universalment reconegut pels seus monumentals *Diccionario crítico etimológico de la lengua castellana* (*DCELC*, Berna / Madrid 1954-1957, 4 vols.) i *Diccionario etimológico castellano e hispánico* (*DECH;* Gredos, Madrid 1980-1991, en col·laboració amb J. A. Pascual; 6 vols.), en els quals fa referències constants a altres llengües peninsulars, especialment al català, llengua per a la qual l'autor començà a recollir informació l'any 1922.

Macrostructura. El *DECat* és una obra que pretén complementar els compendis lexicals anteriors, més que en paraules noves (que n'hi ha tanmateix: *abaldufat*, *alfacara*, *alidem*, etc.), en noves accepcions i en dades de tota mena referides a la vida i l'ambient de les paraules. El seu abast és, doncs, el lèxic general de la llengua. Destaca sobretot pel seu caràcter crític, sense descuidar els aspectes històrics i dialectològics, adreçats a l'objectiu final de l'etimologia. L'extensió de cada article està en relació directa amb les dificultats que comporta l'etimologia i amb les novetats que l'autor addueix, si s'escau, respecte a la informació que ja contenien el *DCELC* i el *DECH*, dels quals aprofita tots els aspectes comuns a ambdues llengües (vegeu *aldarull*, *llòbrec*, *olivarda*, *penca*, *pepida*, *pilot*, *pleta* i passim).

Fonts. En les vint-i-vuit pàgines d'indicacions bibliogràfiques –no exhaustives– del primer volum Coromines destaca especialment les obres catalanes, amb vista a informar consultors estrangers, i prescindeix –segons explica– d'articles de revista sense importància doctrinal bàsica. A més de notícies etimològiques i lexicològiques, el *DECat* inclou una abundant informació etnològica i enciclopèdica (*drac*, *brivalla*, *bonic*), sobre l'ús de les paraules i la seva repercussió en la fixació de la llengua estàndard (*drap*, *botella*, *briu*) i observacions sintàctiques (*per*, *dubtar*). Ara i adés hi apareixen comentaris personals sobre tota mena de qüestions (polítiques, autobiogràfiques, literàries, etc.), que li donen un aire absolutament singular, insòlit en una obra d'aquestes característiques. També sorprenen les invectives –a vegades duríssimes– contra col·legues: Tilander (*adés*), Guiter (*anar*), Wartburg (*amb*), Moll (*beneit*, *blasfemar*, *escatir*, etc.), Griera (*bleir*, *córrec*) i Colon (*brivalla*, *línia*). Fa contínues referències al *DCVB* per complementar, corregir –sovint severament– o discutir les etimologies proposades per aquesta obra. Quant a la informació relativa a topònims i corònims, molt abundant també, podem recórrer, mentre no apareguin els índexs esmentats, al *Butlletí Interior* de la Societat d'Onomàstica, núms. III, VI, VII, XVI, XXI i XXVII. Algun article presenta apèndixs amb informació que correspondria a un altre article, però que té relació amb la veu que s'hi tracta (apèndix sobre *maleir*, dins *beneir*; sobre *galiar*, dins *llaguiar*; sobre *greala* i el *greal*, dins *greda*) i algun excursus (dins *camí*). També hi ha algun dibuix (*alcova*) i algun mapa de la distribució territorial d'un mot (*bressol, farnaca, catxap*).

Microstructura. La primera part dels articles és una síntesi molt breu de la segona part: conté el lema, el seu significat i la veu de la qual procedeix, amb indicació de la llengua i la datació de la primera documentació. La segona part explica la història de la paraula, amb citacions textuals, comentaris sobre les característiques del seu ús, l'evolució del seu significat, la seva localització antiga i moderna, abundants dades històriques i enciclopèdiques, i la discussió d'altres etimologies proposades o possibles. La tercera part inclou els derivats, a vegades amb la primera documentació, el significat i citacions il·lustratives, i amb observacions relatives a la seva història i el seu ús. Els articles que tracten paraules de freqüència elevada incorporen una «llista correlativa de derivats i compostos», que pot arribar a contenir centenars de veus (*garra*, *gota*). La fraseologia i els modismes (v. § 7.23-24) no constitueixen l'objecte d'aquesta obra i no es recullen, tret d'excepcions (*aigua*, *nou*, *punt*). Al final de cada article, i després de les notes, hi ha una relació de les veus que hi trobaríem seguint l'ordre alfabètic, amb la remissió a l'article on s'estudien. J. Gulsoy ha col·laborat estretament amb Coromines en la redacció de l'obra, i a partir del volum V s'ha encarregat de la redacció d'algunes lletres: *LL*, *O*, *Q* i *U*.

Les crítiques al DECat

8.6 Les crítiques a la tasca etimològica de Coromines són laudatòries en la seva immensa majoria (v. referències a Y. Malkiel, «Hispanic Philology», in: *Current Trends in Linguistics* 4, Mouton, The Hague, p. 206, n. 100; i G. Rohlfs, *Manual de filología hispánica*, Bogotà 1957, pp. 119-120). L'obra que ens ocupa, en la mesura que constitueix una part de la ingent producció de l'autor en el camp de la filologia de les llengües peninsulars, comparteix aspectes de les crítiques adverses i de les favorables que l'autor ha rebut.

Pel que fa a la macrostructura, Germà Colon ha posat de manifest les deficiències del *DECat* en el despullament de textos, especialment d'obres lexicogràfiques importants dels segles XV, XVI i XVII: vegeu Colon (1978) i C-S, pp. 199 (n. 274), 200 (n. 277, 279), 202, 208, 235 (n.

329), etc.; pel que fa al *DCEC*, vegeu Colon (1962); i per al *DECH*, Colon (1981). Als llibres d'aquest erudit hi ha referències constants a l'obra de Coromines; en qüestió de mètode, Colon opina que al *DECH* no hi ha una separació neta entre dades filològiques objectives i discussió d'opinions (Colón 1981, 45, p. 133) –crítica extensible també al *DECat*–; també es refereix al caràcter autàrquic de l'obra, concretament a la ignorància de les crítiques (Colón 1981, p. 135, n. 10 i passim), que permetrien millorar la redacció de molts articles. Straka (1985) insisteix en el mateix punt i critica diverses etimologies proposades per l'autor en el primer volum. F. Corriente (1984, 1985) s'ha ocupat dels arabismes de l'obra de Coromines. Pensado (1980-82) ha comentat les imprecisions i absències pel que fa al lèxic occidental, sobretot gallec, del *DECH*, i s'hi ha referit amb caràcter general M. Lourdes García Macho (1984, 1985).

Baldinger (1990) critica que Coromines interpreti el concepte «etimologia» en el sentit més tradicional «d'origen», i menystingui dades sobre la història de la paraula i la seva productivitat en el terreny de la composició i la derivació. (Aquest autor anuncia, en aquest mateix article, la publicació d'un treball crític sobre l'obra de Coromines, «Los dos nuevos diccionarios de Corominas para el español y el catalán», *Hispanica Posnaniensia*, Poznan [Polònia], 1989, en premsa.)

Globalment, continua sent vàlida per al *DECat* l'afirmació de Malkiel (1968) en el sentit que el cabal lèxic dels diccionaris de Coromines és ingent i poc sistemàtic. Ja ens hem referit al despullament irregular d'obres dels segles XV, XVI i XVII. Hi podríem afegir que també hi ha llacunes en el despullament de les contemporànies: fins i tot en el cas del *DCVB*, exhaustivament explotat per Coromines, trobem que al *DECat* hi falten variants formals (*caacom* 'quelcom', *paballó, pabelló*, etc.; i algunes accepcions: *pepa* 'nina', *orat* 'entremaliat', *brull* 'brossat'). De vegades el sistema de referències és poc àgil i desorientador: *flas* 'olor, ferum' remet a *flat*, i *flat* a *inflar*, on se'n perd el rastre; també a *manoquella* (*mà*), *grampó*, etc. O bé la informació és insuficient: *guino* 'pillet', *fondello* 'entrecuix'.

El que hem dit no obsta per afirmar, amb els seus crítics, que l'obra de Coromines marca una fita en la filologia contemporània i és un punt de referència inexcusable per a qualsevol treball etimològic sobre les llengües peninsulars. Gulsoy ha publicat diversos treballs que permeten atenuar o matisar les crítiques de què hem fet esment (vegeu concretament 1987 i 1992). (Per a una àmplia bibliografia crítica sobre Coromines, v. Baldinger 1990.)

El *Glossarium mediae latinitatis Cataloniae*

8.7 La sisena compilació és el *Glossarium mediae latinitatis Cataloniae ab anno DCCC usque ad annum MC* (vol. 1, *A-D*, Universidad de Barcelona / Consejo Superior de Investigaciones Científicas / Institución Milá y Fontanals, Barcelona 1960-1985 [1986], 1047 cols. de 52 línies), dirigit per **Marià Bassols de Climent** (1903-1973) i **Joan Bastardas** (1919-) i realitzat per un equip de col·laboradors. El seu objectiu és «el estudio del léxico del latín medieval propio del dominio del catalán [...], pero es también un diccionario del primer período del catalán preliterario» («Introducción», p. XXIII).

Macrostructura. Prenent com a referència el *Thesaurus Linguae Latinae*, l'obra recull solament «las innovaciones léxicas», i també «innovaciones fonéticas y morfológicas y las nuevas construcciones sintácticas de los años 800-1100» (p. XXIII), empresa singular en el seu gènere i enormement ambiciosa (vegeu-ne l'extensió i altres detalls que en direm).

Microstructura. Els articles de l'obra presenten una estructura clàssica (vegeu, per exemple, la prolixa classificació dels significats de *de*, que ocupen 64 cols. i hi ha 58 notes) i cada article pot contenir la informació següent: lema (en la forma llatina canònica, fins i tot quan aquesta no apareix en els textos: *dare*, *discooperire*), variants ortogràfiques (per a les quals s'adopten els criteris d'edició moderns: *celar.los.t.ei*, col. 961), formes de llengües pròximes (*cursarius*, *dementiri*, *dorsalis*), etimologia (tan sols en els casos nous respecte al *Thesaurus*), significat(s) en castellà (llengua també de la redacció), topònims relacionats amb els lemes i notes sobre els diferents aspectes dels vocables. Tot això amb gran quantitat d'exemples (*discurrere*), donats amb un context ampli (*dotare*). De manera que sovint els articles constitueixen extenses monografies que interessen a l'historiador de la cultura en sentit ampli tant com al filòleg: «c'est toute la vie d'une région qui nous est restituée à travers son vocabulaire, ce sont ces structures [...] qui se montrent», com diu Pierre Bonnassie (*Annales du Midi*, 1965, p. 457). Hi ha una gran riquesa de notícies toponomàstiques, d'història religiosa (*canonica*) i d'història civil en els seus múltiples aspectes (*cabalcata*, *currere*, *dominicatura*, *dominicus*), a part de les il·lustracions sobre aspectes lingüístics (vegeu la gran riquesa de locucions a *directum*, que ocupa 15 cols.); informació especialment important pel fet que es refereix a una època crucial per a la llengua catalana.

9. LA DEPURACIÓ DEL LÈXIC

9.1 En la història de la lexicografia catalana es produeix un fenomen alhora desconcertant i apassionant que l'afecta des de la fi del segle XV i molt més intensament avui que ahir: la voluntat, no sempre explícita, clara o ben orientada, de salvaguardar la puresa del lèxic autòcton enfront de la influència, sobretot, del lèxic castellà. Es tracta de la lluita d'una llengua feble i marginal, o afeblida i marginada, enfront d'una altra de forta i central, o imposada i reforçada; lluita en què cada dia es perd un tros de terreny i en què el nord no sempre és clar. El fenomen es manifesta de forma negativa en l'acceptació inconscient d'interferències i calcs, i en forma positiva en la lluita per la puresa. L'aspecte negatiu s'observa des del segle XVI fins a l'inici del XX: ara i adés hem fet notar la presència de castellanismes en els nostres diccionaris; hi afegirem un últim esment: el *Diccionari popular de la llengua catalana* (Francisco Baxarias, Barcelona 1904-1906) de **Josep Aladern** (pseudònim de **Cosme Vidal**, 1869-1918), obra feta també amb més pretensions que competència (vegeu Ginebra 1994, pp. 110-117), no es deslliura tampoc d'acollir castellanismes i mots fantasma (vegeu Solà 1977, pp. 38-39). La lluita es produeix de dues maneres: en forma de polèmiques i en forma de tractats de barbarismes. (Vegeu també I, § 4.20.) Abans de referir-nos a cada un d'aquests dos aspectes recordarem dues característiques generals de la nostra lexicografia:

a) Des de temps antics existia, sobretot a València (sembla que des de Viciana, s. XVI), la creença que «era» català (o valencià o mallorquí) tot allò que el lexicògraf trobava en l'ús oral o escrit; i encara més, el català s'apropiava de tot allò que li arribava o simplement coneixia de la llengua veïna i ho digeria sense cap empegueïment: *asco* es convertia en *asch* i *timbre* en *tim* en mans de Ros (v. § 6.1), i hem vist altres nombrosos jocs de mans en els autors del segle XIX. Aquesta apropiació disposa fins i tot de formulacions explícites: vegeu Gulsoy (1964*b*, p. 134); diccionari d'Unos amigos (v. § 7.20), p. VI, i diccionari d'Escrig-Llombart (v. § 7.9), pp. XXXV-XLII.

b) Fins a la fi del segle XIX els nostres (aficionats) lexicògrafs no tenien idea que els cultismes són una part important de les nostres llengües; al contrari, els sonaven a castellanismes i els perseguien: *ambient medieval* i *commoció cerebral* es convertien, respectivament, en *ambent migeval* i *trasbals cervellívol* (Solà 1987, §§ 2.13a, 4.40d).

Les polèmiques

9.2 Les polèmiques més famoses són les següents. A la segona meitat del segle XIX es va discutir de manera interminable la conveniència d'adequar la llengua escrita a «el català que ara es parla» o, per contra, d'allunyar-la'n (vegeu Solà 1991, pp. 97-130, i Segarra 1985, pp. 218-259), discussió que, de fet, subsumeix totes les polèmiqueus posteriors, perquè és el gran i únic problema de la llengua i, per tant, dura encara avui i es manifesta amb més força i tot: el 1957 ressorgí de manera no gaire més precisa però no menys significativa (vegeu Solà 1977, caps. VI-IX); i des del 1982 fins avui mateix, i potser fins demà, hi ha una altra polèmica de signe idèntic però més impacient, que té com a representant més cru el llibre *Verinosa llengua* (Empúries, Barcelona 1986) de **Xavier Pericay** i **Ferran Toutain**. Dos altres llibres importants són *El futur de la llengua catalana* (Empúries, Barcelona 1990), de **Modest Prats**, **August Rafanell** i **Albert Rossich**, i *El barco fantasma (1982-1992)* (Llibres de l'Índex, Barcelona 1992), de diversos autors que componen el **Grup d'Estudis Catalans**. La polseguera ha estat impressionant en alguns moments d'aquests últims anys i ha produït una multitud de llibres i articles. Si el lector vol veure l'altra cara de la polèmica pot recórrer, per exemple, a: **Institut d'Estudis Catalans**, *La llengua i els mitjans de comunicació de massa* i *Debat sobre la normalització lingüística* (Barcelona 1991), i **Francesc Vallverdú**, *L'ús del català: un futur controvertit* (Edicions 62, Barcelona 1990; 2a edició, augmentada amb una nota, 1992); i, encara, li serà útil de conèixer dos altres llibres que no se situen tan al centre roent de la polèmica però que ajuden a entendre-s'hi: **Jesús Royo**, *Una llengua és un mercat* (Edicions 62, Barcelona 1991), i **Isidor Marí**, *Un horitzó per a la llengua* (Empúries, Barcelona 1992). I mentrestant hi ha hagut altres polèmiques, de signe més clarament polític i disgregador, a les Illes Balears i sobretot al País Valencià. Donada la penúria lingüística del país en aquests anys, el lèxic ha estat l'aspecte gairebé únic en què s'ha insistit, tot i que la sintaxi, i avui la fonètica, es troben tan o més desgavellats que el lèxic.

Els tractats de barbarismes

9.3 Els tractats de barbarismes formen dos grups: els que podríem anomenar més o menys ingenus, que no tenen altre objectiu que recordar i corregir les incorreccions (en general, sense discutir mai l'exactitud d'aquest qualificatiu), i els que estan més formalitzats i/o documentats. Joan Solà (1977) donà compte de molts, però la vena no s'ha estroncat pas: des d'aquella data se'n podria enumerar més de cent cinquanta de nous. Entre els primers podríem esmentar els següents (algun dels quals potser podria anar també amb l'altre grup), per ordre cronològic: les *Regles de esquivar vocables o mots grossers o pagesívols*, de Bernat Fenollar i Jeroni Pau, ca. 1492-1497 (v. Martí de Riquer, *Història de la literatura catalana*, vol. 3, Ariel, Esplugues de Llobregat 1964, pp. 345-354); els tractats de Carles Ros (*Diccionario valenciano-castellano*, 1764, i *Correccion de vozes, y phrases...*, 1771, v. § 6.1), Antoni Careta i Vidal («Porgaduras del idioma», *Lo Gay Saber*, Barcelona, III, 1878, pp. 99-102; *Barbrismes y vulgarismes que malmeten la llengua catalana*, Aplec I, Víctor Verdós y Feliu, Barcelona 1886; *Diccionari de barbrismes introduhits en la llengua catalana*, Oliva, Vilanova y Geltrú / Barcelona 1901), Emili Vallès i Vidal (*Resúm de gramática catalana*, Ramón Gilabert, Barcelona 1904: acabat amb un «Diccionari de barbarismes e idiotismes», pp. 119-188; *Diccionari de barbarismes del català modern*, Central Catalana de Publicacions, Barcelona 1930), Bernat Montsià (*Els barbarismes. (Guia de depuració del lèxic català)*, Barcino, Barcelona 1935), Carles Salvador i Gimeno (*Qüestions de llenguatge*, discurs al Centre de Cultura Valenciana, València 1936; *Parleu bé! Notes lingüístiques*, Sicània, València 1957), Eduard Artells (*Llenguatge i gramàtica*, 2 vols., Barcino, Barcelona 1969-1971), Enric Valor (*Millorem el llenguatge*, Gorg, València 1971; reedició: Eliseu Climent, València 1979; i *Temes de correcció lingüística*, Eliseu Climent, València 1983), Jaume Vallcorba i Rocosa (*Punts essencials de català en lliçons breus. Selecció dels textos lingüístics i gramaticals inserits als Blocs Maragall de 1964* *a 1978*, Miquel Arimany, Barcelona 1878), **Manuel Franquesa** (*Diccionari de sinònims*, Pòrtic, Barcelona 1971), **Albert Jané** (*Aclariments lingüístics*, 3 vols., Barcino, Barcelona 1973; *El llenguatge*, Edhasa, Barcelona 1977-1980), **Emili Pascual** i **Alfons Tarrida** (*Diccionari Regina d'ús del català*, Regina, Barcelona 1984). **Esperança Figueras** i **Rosalina Poch** (*Nou vocabulari de barbarismes*, Barcino, Barcelona 1973), **Josep Ruaix** (*El català en fitxes*, vol. 3, Ruaix, Moià 1976; després *El català*, vol. 3, Ruaix, Moià 1986), **Santiago Pey** (*Vocabulari de barbarismes*, Teide, Barcelona 1982), **Aureli Cortiella i Martret** (*Vocabulari de barbarismes*, Caixa d'Estalvis de Catalunya, Barcelona 1981), **Isabel Gimeno** (*Diccionari de barbarismes*, Cap Roig, Barcelona 1987), **Josep Miracle** (*A Catalunya, en català*, El Llamp, Barcelona 1992) i **Ernest Sabater** (*Ni «heavy», ni «light»: català modern!*, Empúries, Barcelona 1991).

9.4 Entre els més raonats o fonamentats i fonamentals, enumerarem els següents. Preguem al lector que recordi les limitacions temàtiques d'aquest llibre i els advertiments específics que hem fet al començament de la llista de I, § 5.2.

Antoni M. Badia i Margarit: «*Regles de esquivar vocables o mots grossers o pagesívols:* unas normas del siglo xv sobre pureza de la lengua catalana», *BRABLB*, 23 (1950), pp. 137-152; 24 (1951-1952), pp. 83-116; 25 (1953), pp. 145-163; «Els verbs *entregar* i *lliurar*», dins el seu llibre *La llengua catalana ahir i avui*, Curial, Barcelona 1973, pp. 157-165; «El castellanisme estrafet, recurs estilístic dins el *Perot Marrasquí*, de Carles Riba», dins *In memoriam Carles Riba (1959-1969)*, Ariel, Barcelona 1973, pp. 47-60; «Actituds populars davant el purisme idiomàtic», *EUC*, XXIII (1979), pp. 27-37; «Petita disquisició sobre el lleidatà *prou/prouta* (estructura i analogia)», *Homenaje a Samuel Gili Gaya (in memoriam)*, Biblograf, Barcelona 1979, pp. 59-63.

Josep Ballester i Adolf Piquer: «L'argot i el contacte de llengües: la seva vigència literària», *Actes* Alacant (1993), III, pp. 333-345.

Francesc Bernat i Xavier Favà: «La llista de la RTVV (1990): Estudi lexicogràfic», dins Solà 1992, pp. 75-121.

Gabriel Bibiloni i Jaume Corbera: «La llengua normativa a les Illes Balears», *Actes* Normativa, I (1984), pp. 147-156.

Edicions Bromera: *Normes d'ús lingüístic d'Edicions Bromera*, Bromera, Alzira 1990.

Jordi Bruguera: «Algunes qüestions sobre la normativa del lèxic», *Actes* Normativa, I (1984), pp. 37-49.

Carme Bogner, Rosa Galí i Rubio i Joan Soler i Bou: «El diccionari de Coromines (*DECat*) i el lèxic conflictiu», dins Solà 1992, pp. 153-181.

Jenny Brumme: «La modernització i l'ampliació del lèxic político-social català», *LL*, 3 (1988-1989), pp. 193-264; «Aprachliche Normalisierung und lexikalische Modernisierung des Katalanischen», *Zeitschrift für Katalanistik*, 2 (1989), pp. 52-63.

Jem Cabanes: «Problemes dels correctors i assessors dels mitjans de comunicació» [resposta a l'enquesta], *Actes* Normativa, III, 1989, pp. 118-128.

Teresa Cabré i Monné: «Interferència, ortografia i gramàtica», *Actes* Alacant (1993), III, pp. 97-109.

Caixa d'Estalvis i Pensions de Barcelona: *Llibre d'estil*, Caixa d'Estalvis i Pensions de Barcelona, Barcelona 1991. (2a ed., corregida, 1993.)

Oriol Camps: «Problemes dels correctors i assessors dels mitjans de comunicació» [resposta a l'enquesta], *Actes* Normativa, III, 1989, pp. 128-160; *Parlem del català*, Empúrics, Barcelona 1994.

Ramon Carreté: «Interferències lingüístiques en un bilingüe familiar de 5 anys», *Actes* Alacant (1993), III, pp. 319-331.

Emili Casanova: «Castellanismos y su cambio semántico al penetrar en el catalán», *Boletín de la Asociación Europea de Profesores de Español*, 23 (1980), pp. 15-25; «Elements per a una proposta lèxica», dins Ferrando (1990), pp. 101-147; «Evolució i interferència en el sistema demostratiu català: una explicació», *Actes* Alacant (1993), III, pp. 161-195.

Ramon Cerdà: «Apreciaciones generales sobre cast /X/ —> cat [X] en el Campo de Tarragona», *Revista de Filología Española* (Madrid), L (1967 [1970]), pp. 57-96; «Diglosia y degradación semántica en el habla de Constantí (Campo de Tarragona)», dins *Philologia Hispaniensia in honorem Manuel Alvar*, I, Gredos, Madrid 1983, pp. 137-158.

Jordi Colomina: *L'Alacantí. Un estudi sobre la variació lingüística*, Diputació Provincial, Alacant 1985; «Morfologia i ortografia: a propòsit d'algunes grafies controvertides», *A Sol Post* (Alcoi), 2 (*Universitas*, 3) (1991), pp. 129-153.

Germà Colón Domènech: «Castellanisme», dins *Gran enciclopèdia catalana*, vol. 4, Enciclopèdia Catalana, Barcelolna 1973; de fet, molts altres dels seus innombrables treballs, com l'obra de 1976 (v. Bibliografia) i aquesta altra: *El español y el catalán juntos y en contraste*, Ariel, Barcelona 1989.

Jaume Corbera: «Gal·licismes a la Vall de Sóller», *Randa*, 12 (1981), pp. 83-88; *Vocabulari de barbarismes del català de Mallorca*, Promotora Mallorquina de Mitjans de Comunicació, Palma 1983; ara convertit en *Nou vocabulari de barbarismes del català de Mallorca*, El Tall, Mallorca 1993; «La penetració del lèxic castellà dins el català de Mallorca a l'època de la Decadència (segles XVI-XVIII)», *Randa*, 18 (1983), pp. 93-110; «El lèxic mallorquí dins l'actual normativa catalana», *Katalanische Studien* (Frankfurt am Main), 3 (1994), pp. 85-108.

Joan Coromines: *Lleures* (v. § 5.2) i sobretot l'obra més transcendental en aquest terreny, el *DECat* (v. § 8.5).

Lluís Creixell: *Diccionari bàsic francès-català*, Centre Pluridisciplinari d'Estudis Catalans, Perpinyà 1974 (3a ed., molt ampliada, 1981).

Maria Josep Cuenca: «El català als mitjans de comunicació de massa», dins Vicent Salvador (coord.), *Teletextos,* Universitat de València, València 1989, pp. 121-150.

Neus Faura i Pujol: «Els anglicismes futbolístics a la premsa catalana fins al 1936», *ELLC*, X (1985), pp. 145-190.

Josep Ferrer: «Problemes dels correctors i assessors dels mitjans de comunicació» [resposta a l'enquesta], *Actes* Normativa, III, 1989, pp. 160-194.

Ricard Fité Labaila: *Orientacions per a l'ús de la llengua a la ràdio*, Consorci per a la Normalització Lingüística, Centre de Normalització Lingüística de l'Hospitalet, L'Hospitalet de Llobregat 1986; «La llengua en els mitjans de comunicació de masses durant el període 1975-1990», *Annals del Periodisme Català* (Barcelona), 17 (jul.-des. 1990), pp. 43-49; «Normativa i ús en la literatura», *Actes* de les I Jornades sobre Llengua i Creació Literària, Generalitat de Catalunya, Barcelona 1991, pp. 35-39; «Incidència dels mitjans de comunicació àudio-visual en el procés d'estandardització. Relació entre els usos estàndard i la normativa vigent», *Actes del Segon Congrés Internacional de la Llengua Catalana*, vol. 4 (Area de Lingüística Social), Mallorca 1992, pp. 571-577; «El model de la llengua als mitjans de comunicació. El conflicte entre la norma i l'ús», dins *I Jornades de Sociolingüística: «la llengua estàndard»*, Ajuntament d'Alcoi, Alcoi 1993, pp. 39-54.

Dolors Font i Rotchés: «El lèxic de l'*Avui* i del *Diari de Barcelona*: Presència en els diccionaris de la llengua», dins Solà 1992, pp. 123-151.

Enric Fontvila: «Problemes dels correctors i assessors dels mitjans de comunicació» [resposta a l'enquesta], *Actes* Normativa, III, 1989, pp. 194-207.

Lluís Gimeno Betí: «Lèxic popular regional i diccionari normatiu», *Zeitschrift für Katalanistik*, 6 (1993), pp. 121-135.

Grup d'Estudis Catalans: *El barco fantasma (1982-1992)*, Llibres de l'índex, Barcelona 1992. (Conté una reproducció d'escrits teòrics i aplicats dels diversos autors del Grup (GRC), publicats durant els anys 1982-1992, «El català errant», pp. 17-192, i una «Proposta del GEC al IEC», pp. 193-259.)

Enric Guiter: «Algunes infiltracions del lèxic occità en el domini lingüístic català», *ER*, 1 (1947-1948 [1949]), pp. 153-158.

Günther Haensch: «La discrepància entre la llengua escrita i la llengua parlada, un problema essencial del català d'avui i de demà», *Actes* Amsterdam, 1970, pp. 255-274.

Albert Jané: «Literatura i varietats no-estàndard», *Actes* de les I Jornades sobre Llengua i Creació Literària, Generalitat de Catalunya, Barcelona 1991, pp. 55-57.

Jesús Jiménez i Pelegrí Sancho: «Algunes qüestions de lingüística contrastiva en el lèxic de la recol·lecció en català i castellà. Sobre la locució prepositiva "arran de"», *Actes* Alacant (1993), III, pp. 27-42.

Josep Lacreu: «Criteris d'ús de l'entàndard oral», *Saó* (València), 113 (nov. 1988), pp. 28-30; «El llenguatge dels mitjans de comunicació», dins *Primavera d'estiu 88*, Generalitat Valenciana, València [1988], pp. 28-30; «La correcció lingüística», dins *Primavera d'estiu 1989*, Generalitat Valenciana, València 1989, pp. 39-43; «El contacte entre les llengües: el cas valencià», dins *Llenguatge i publicacions en els parlaments autonòmics,* Corts Valencianes, València 1992, pp. 105-124; «Un model de llengua per als mitjans de comunicació valencians», *Saó* (València), 14 (juny 1993), pp. 34-37.

Lluís López del Castillo: *Llengua standard i nivells de llenguatge*, Laia, Barcelona 1976.

Mercè Marasó: «Anglicisms in contemporary Catalan», *Polyglot*, vol. 3.1 (gener 1981), pp. 1-7.

Pere Marcet: «Literatura i varietats no-estàndard», *Actes* de les I Jornades sobre Llengua i Creació Literària, Generalitat de Catalunya, Barcelona 1991, pp. 51-55.

Sebastià Mariné Bigorra: «Castellanismos léxicos en un habla local del Campo de Tarragona», *BRABLB*, XXV (1953), pp. 171-226; «El préstamo fonológico», *Revista Española de Lingüística* (Madrid), 6.2 (1976), pp. 301-308 (sobre [x] i [k] corresponents al cast. [x]).

Toni Mollà: *La llengua dels mitjans de comunicació*, Bromera, Alzira 1990.

Brauli Montoya i Abad: «Alguns problemes d'interferència lèxico-semàntica en una comunitat de parla multilectal», dins *Estudis en memòria del professor Manuel Sanchis Guarner: Estudis de llengua i literatura catalanes* (Miscel.lània Sanchis Guarner, I), Universitat de València, València 1984, pp. 235-240; «Entorn del lèxic regional tarragoní», *Universitas Tarraconensis* (Tarragona), IX (1985), pp. 51-62; *Variació i desplaçament de llengua a Elda i a Oriola durant l'edat moderna*, Institut d'Estudis «Juan Gil-Albert», Diputació d'Alacant, Alicante 1986; «Variabilitat i canvi en el parlar alacantí a les darreries del segle XIX», dins *Materials del Congrés d'Estudis del Camp d'Alacant*, Diputación Provincial de Alicante, Alacant 1986, pp. 317-330; *La interferència lingüística al sud valencià*, Generalitat Valenciana, València 1990; «Interferència lèxico-semàntica i comunitat de parla: un estudi de cas», dins Ferrando 1992, II, pp. 417-431.

Vicent Ortells i Xavier Campos: *Els anglicismes de Menorca*, Moll, Palma de Mallorca 1983. (Aquesta obra recull, pp. 121-122, la bibliografia anterior sobre el tema, amb els noms d'A. M. Badia Margarit, D. W. Donaldson, B. Escudero Manent, H. Guiter, Fr. de B. Moll, A. Pacios Giménez, A. Ruiz Pablo, J. Timoner Petrus, J. Veny i C. Victory de Ferrer, autors que ja no esmentarem amb més detall; v. ara, en aquest mateix paràgraf, Corbera, Faura i Marasó.)

Lluís Payrató: «Barbarismes, manlleus i interferències. Sobre la terminologia dels contactes interlingüístics», *Els Marges*, 32 (1984), pp. 45-58; *La interferència lingüística. Comentaris i exemples català-castellà*, Curial / Publicacions de l'Abadia de Montserrat, Barcelona 1985, i *Català col·loquial. Aspectes de l'ús corrent de la llengua catalana*, Universitat de València, València 1988; «Pragmática y lenguaje cotidiano. Apuntes sobre el catalán coloquial», *Revista de Filología Románica* (Madrid), 9 (1992), pp. 143-153; «Discurs corrent i actituds davant el diccionari», *Escola Catalana* (Barcelona), 301 (juny 1993), pp. 10-12.

Manuel Pérez Saldanya i Vicent Salvador: «Lingüística cognitiva i llengües en contacte: el cas del futur de probabilitat en català», *Actes* Alacant (1993), III, pp. 229-245.

Xavier Pericay: «Problemes dels correctors i assessors dels mitjans de comunicació» [resposta a l'enquesta], *Actes* Normativa, III, 1989, pp.

208-213; «El model de llengua als mitjans de comunicació social», dins Joan Martí i Castell (curador), *Processos de normalització lingüística...*, Columna, Barcelona 1991, pp. 189-196.

Albert Pla i Nualàrt: «Problemes dels correctors i assessors dels mitjans de comunicació» [resposta a l'enquesta], *Actes* Normativa, III, 1989, pp. 214-259.

Modest Prats, August Rafanell, Albert Rossich: *El futur de la llengua catalana*, Empúries, Barcelona 1990 («La degradació de la llengua», pp. 68-75).

Artur Quintana: «Balearismes i occidentalismes en la narrativa barcelonina contemporània», *Estudis Universitaris Catalans*, XXIII (1979), pp. 465-469.

Joan-Rafael Ramos i Alfajarín: «La variació i la interferència lèxico-semàntica en la comunitat de parla de Borriol», *ELLC*, XX (1990), pp. 257-296.

Daniel Recasens i Vives: *Estudi lingüístic sobre la parla del Camp de Tarragona*, Curial / Publicacions de l'Abadia de Montserrat, Barcelona 1985.

Josep Ruaix: *Punts conflictius...* (v. I, § 4.6).

Bettine Scholz: «*Regles de esquivar vocables o mots grossers o pagesívols:* der erste normative Versuch in Katalonien», *Katalanische Studien* (Frankfurt am Main), 4 (1994), pp. 29-39.

Manuel Sifre Gómez: «Canvis d'adscripció conjugacional per influència de l'espanyol», *Actes* Alacant (1993), III, pp. 247-255.

Rodolf Sirera: «Normativa i ús en la literatura», *Actes* de les I Jornades sobre Llengua i Creació Literària, Generalitat de Catalunya, Barcelona 1991, pp. 39-41.

Anna M. Torrent: «Notes sobre la presència de la llengua castellana en els anuncis catalans», *Actes* Alacant (1993), III, pp. 347-368.

Ivan Tubau: *El català que ara es parla. Llengua i periodisme a la ràdio i la televisió*, Empúries, Barcelona 1990; *Paraula viva contra llengua normativa. El català espontani dels mitjans audiovisuals*, Laertes, Barcelona 1990.

Universitat de Barcelona: *Criteris lingüístics*, Universitat de Barcelona, Barcelona 1989.

Francesc Vallverdú: *L'escriptor català i el problema de la llengua*, Edicions 62, Barcelona 1968; «Normativa i ús en la literatura», *Actes* de les I Jornades sobre Llengua i Creació Literària, Generalitat de Catalunya, Barcelona 1991, pp. 41-44.

Joan Veny: *Estudis de geolingüística catalana*, Edicions 62, Barcelona 1978, caps. IV i VI. De fet, la majoria de les innombrables monografies de l'autor tenen interès en l'aspecte de què ara tractem, però considerem que cauen més aviat al terreny de la dialectologia; esmentarem almenys: «Sobre les equivalències castellà /x/ = català /l̬/», dins Homenaje a *Alonso Zamora Vicente,* II, Madrid 1989, pp. 307-321; «Les varietats geogràfiques i la normativa de la llengua catalana», dins Joan Martí i Castell (curador), *Processos de normalització lingüística*, Columna, Barcelona 1991, pp. 197-205; «Fortuna del fonema /x/ en català: visió històrica de la "queada"», *Actes* Alacant (1993), II, pp. 405-436.

Pere Verdaguer: *El català al Rosselló (Gal·licismes, Occitenismes, Rossellonismes)*, Barcino, Barcelona 1974; *Le catalan et le français comparés*, Barcino, Barcelona 1976; *Comentari sobre el vocabulari rossellonès*, Barcino, Barcelona 1982; «El català al Rosselló i la norma», *Actes* Normativa, I (1984), pp. 93-105.

Jordi Vila: «La lexicografia catalana i el lèxic conflictiu», dins Solà 1992, pp. 183-211.

Enric Vives i Edo: «Problemes dels correctors i assessors dels mitjans de comunicació» [resposta a l'enquesta], *Actes* Normativa, III, 1989, pp. 259-269.

Andreas Wesch: «Elemente des gesprochenen Katalanisch», dins Axel Schönberger und Klaus Zimmermann (eds.), *De orbis Hispani linguis litteris historia moribus. Festchrift für Dietrich Briesemeister...,* 1 (Domus Editora Europaea, Frankfurt am Main, 1994), pp. 309-332.

Cal dir que treballs com els de López del Castillo, Cerdà, Montoya, Colomina i Payrató constitueixen canvis fonamentals de perspectiva i un enriquiment metodològic i de contingut impensables abans dels últims anys. Finalment, també l'obra de Jordi Bruguera (1985) conté molta informació sobre aquest tema, a més de proporcionar-nos una bona bibliografia sobre la formació i les vicissituds del nostre lèxic general.

La influència dels correctors damunt la llengua

9.5 Per conèixer amb un cert detall l'evolució i l'estat actual de la llengua seria imprescindible d'estudiar la influència que hi han tingut els correctors i assessors. Durant els anys cinquanta i seixanta el paper d'aquestes persones era absolutament determinant (v. I, § 4.5) i alguna vegada va fer reaccionar els autors afectats. Però avui els assessors i correctors no tenen pas un paper menys decisiu sobre la fesomia dels escrits publicats o recitats en una pantalla de TV o en un escenari: vegeu el que hem dit a I, §§ 4.21-22. Això és degut, com se sap prou bé, a la precàrica situació social i (en conseqüència) lingüística del català, que fa que tothom visqui envoltat de dubtes de tota mena i provoca un temor generalitzat i un lògic enfortiment del paper dels assessors i de les «autoritats» de tota mena (tots els quals no es troben pas tampoc alliberats dels dubtes). Això fa que, per exemple, quan trobem o deixem de trobar usats en un imprès els signes inicials d'interrogació i admiració no puguem deduir que l'ús respon a la decisió de l'autor, de vegades ni tan sols de l'editorial. En escrits de tipus més o menys correctiu, com els que hem esmentat en aquest capítol, sovint s'addueix l'ús de tal o tal autor en suport de l'opinió defensada, sense tenir en compte que el cas citat pot ser perfectament «propietat» del corrector o traductor de torn.

Molts dels escrits de Josep Pla, un home tan fonamental per a la llengua del segle xx, es troben afectats en aquest sentit. Fins i tot es pot donar i es dóna el cas que es fonamenti i es defensi un ús determinat amb el suport d'un text que ha estat manipulat o corregit pel mateix autor de la defensa; o, més en general, amb el suport d'usos o bé d'hàbits que de fet han estat imposats pel mateix autor de la defensa o per l'«escola» a la qual pertany. Aquest fenomen afectava fins i tot un home tan liberal i savi com Fabra, que exagerava (o, diguem, adoptava una posició política) quan deia que tal o tal ús havia estat acceptat per tothom. I, d'altra banda, la intervenció estrictament lingüística en els textos no és pas cosa d'ara, sinó que ja fa aproximadament un segle que dura: Verdaguer mateix va ser objecte de nombroses manipulacions (i, en conseqüència, algun cas que en trobem citat en algun repertori no és responsabilitat de l'escriptor de Folgueroles), com ha revelat Narcís Garolera; i les *Converses* de Fabra (ed. de Pey) van ser també objecte de manipulació gairebé sistemàtica, com ha posat al descobert Joaquim Rafel (v. I, § 3.3). Vet aquí, doncs, un tema d'estudi tan interessant com difícil: difícil, pel sol fet que a penes es conserven els originals de cap autor modern i que a penes hi hagi cap empresa que tingui per escrit els seus criteris de correcció.

10. EL SEGLE XX

Generalitats

10.1 La lexicografia catalana s'incorpora tard a la lexicografia moderna, com a conseqüència de la marginació cultural i política de la llengua i la cultura catalanes en els darrers segles. El primer projecte lexicogràfic que podem anomenar modern, equiparable al de les llengües de cultura veïnes, tingué lloc arran de la creació de l'Institut d'Estudis Catalans (1907) i més concretament de la seva Secció Filològica, a l'empara de la qual P. Fabra va fer el *DGLC* (v. més avall). El projecte de l'Institut era l'elaboració d'una obra de caràcter exhaustiu, semblant en el seu plantejament al *DCVB* (v. § 8.4), del qual ja hi havia dos fascicles l'any 1923; però les dues dictadures, i especialment la sorgida després de la guerra civil, imposaren un parèntesi obligat a tota activitat relacionada amb el cultiu de la llengua catalana. La lenta recuperació posterior només es reflecteix, en el camp de la lexicografia, en les successives reedicions del *DGLC* i en l'aparició d'alguns diccionaris bilingües (v. §§ 10.25 ss) i de sinònims (v. § 10.14 ss), a més d'alguns treballs sobre aspectes parcials del lèxic (v. § 10.8 ss), fins a la publicació, en la dècada dels anys seixanta, de la *Gran enciclopèdia catalana* (v. § 10.12), que va representar una actualització del lèxic general i sobretot de la terminologia de caràcter tècnic i científic; en aquesta precària recuperació la bibliografia crítica és escassa.

Actualment la Secció Filològica de l'Institut té endegats dos projectes lexicogràfics d'envergadura: el *Diccionari del català contemporani*, nom de la base de dades –d'uns 50 milions de mots extrets de textos publicats els darrers cent cinquanta anys– a partir de la qual s'ha d'elaborar el diccionari d'aquest nom, sota la direcció de Joaquim Rafel: aquesta base de dades permetrà abordar futurs treballs lexicogràfics; i el *Nou diccionari general de la llengua catalana*, actualització i renovació de l'actual

Diccionari general portada a terme per les Oficines Lexicogràfiques de l'Institut d'Estudis Catalans, sota la direcció de Teresa Cabré i Castellví, que ha comportat una revisió i una homogeneïtzació dels criteris lexicogràfics del *DGLC* i la incorporació de més de 30.000 articles.

Diccionaris generals

El DGLC

10.2 El *Diccionari general de la llengua catalana* (*DGLC*, Catalònia, Barcelona 1932, [31]1994) pretenia ser, segons el seu autor, **Pompeu Fabra** (1868-1948), el «canemàs del futur diccionari de l'Institut» (v. § 10.1), però al llarg de quasi cinquanta anys les circumstàncies polítiques han fet d'«el Fabra», com és conegut popularment, el punt de referència normatiu obligat, de tal manera que s'ha arribat a produir allò que alguns estudiosos de la lexicografia denominen «mitificació del diccionari». Fins i tot va estar censurat: la primera edició que es permeté després de la guerra, la de [2]1954, duia supressions i modificacions; el text original no ha estat restablert totalment fins a l'edició de 1990 (v. Alsina i Keith 1990). G. Colon i A. Soberanas (C-S) han estudiat extensament aquesta obra, i ens servirem a partir d'ara dels seus treballs, sense cap més indicació si no els citem.

Fonts. Fabra recollí informació de «gran nombre de diccionaris catalans i d'altres llengües» (C-S), principalment el de l'Academia Española (ed. de 1925), el *Dictionnaire général de la langue française* (ca. 1900) de Hatzfeld, Darmesteter i Thomas, i el Webster *International Dictionary* (1892); dels compendis lexicogràfics publicats: *«Diccionari Aguiló»* (v. § 8.1.), *Butlletí de Dialectologia Catalana*, etc., i dels materials existents a les oficines lexicogràfiques de l'Institut d'Estudis Catalans per a l'elaboració del diccionari de l'Institut. En resum, aprofità la migrada tradició lexicogràfica catalana i en part la de les llengües veïnes.

L'obra de Fabra s'inscriu en un ambiciós projecte de «normalització» de la llengua catalana moderna, en el sentit de dotar-la d'un instrument funcional i referencial (v. Lamuela-Murgades 1984 i, aquí, I, § 3.4*b*), que té com a etapes prèvies immediates la promulgació de les *Normes ortogràfiques* (1913) i la *Gramàtica catalana* de 1918 (v. I § 3.3).

Macrostructura. El *DGLC* pretén ser un inventari selectiu de l'idioma –consta d'unes 50.000 entrades– que haurà de tendir a constituir-se en lèxic comú, amb exclusió de regionalismes d'àmbit restringit i d'arcaismes. Pel que fa als regionalismes, la posició de Fabra era clara: diu en el pròleg que tindrien entrada al diccionari quan els autors de la seva respectiva comarca els elevessin a la categoria literària; altrament, es produiria una sobrecàrrega de lèxic que seria un obstacle per a la depuració i la fixació de la llengua escrita. En conseqüència amb aquests supòsits, falten al *DGLC* paraules d'ús comú en algun dels grans dialectes. A les que assenyalen Colon i Soberanas (*vermell de l'ou*, *posar messions*, etc.) podríem afegir *beneitura*, *returar* 'quequejar', *cruiar* 'esberlar', *trempar* 'amanir' i *trempó* 'mena d'amanida mallorquina', etc. per al mallorquí; i *baldador* i *baldar-se* 'gronxador' i 'gronxar-se', *buixir* 'lladrar', *flas* 'olor, pudor', etc., per al català nord-occidental (v. Rico 1988). Ferrando, al pròleg del *Diccionari general* de Ferrer Pastor (v. § 10.9) indica l'absència al *DGLC* de vocables valencians àmpliament usats: *apegar* 'encomanar', *triar-se* 'tallar-se la mantega', *atalbar* 'ensopir', *harca* 'acció d'apedregar-se els xiquets', *mosseguello* 'rata pinyada', etc.

Aquestes mancances contrasten amb la inclusió d'arcaismes i de dialectalismes d'àmbit molt reduït, que sens dubte obeeix a la falta de dades dialectològiques fiables i abundants, però que representa un desequilibri notable en la representació dels diversos àmbits dialectals. Per exemple, el Fabra recull les veus que segueixen, que tenen molta menys extensió que les esmentades més amunt: *espluga* 'cova', *estantolar* 'apuntalar', *enjondre* 'en una altra part', *empentís* 'malaltís' (C-S, p. 209); a les quals podríem afegir *jaumet* 'mena de corc del llegum', *jaumetar* 'corcar', *encerar* 'enganyar', etc. L'àrea dialectal més ben representada és la del català central: *arrencar*, *cargol*, *darrera*, *endanyar*, *esma*, *fonoll*, etc. (C-S, p. 221); la majoria de veus que haurien de dur marques diatòpiques hi apareixen sense cap indicació (a més de les esmentades, *aplegar* 'arribar', *atzucac*, *eixir*, valencianes; *al·lot*, *ca*, mallorquines, etc.) o bé amb remissions a la forma pròpia del dialecte central (*algeps* i *ges* remeten a *guix*, sense cap altra indicació); molt poques vegades s'hi assenyala el caràcter (*d*[ialectal]) d'un mot: *espalmar* 'raspallar', *coa*, *prompte*, etc. Fabra també recull nombroses variants formals de caràcter dialectal (la primera és la que dóna com a preferent): *arrel*, *rel*; *catúfol*, *caduc*, *cadup*; *brogit*, *bruit*; *colitxos*, *colissos*; *nervi*, *nirvi*; *tisores*, *estisores*, etc. A vegades aquestes variants figuren a l'article mateix (v. més avall).

Pel que fa als arcaismes, dels quals Fabra havia decidit prescindir, n'hi apareixen, i en general sense cap mena d'indicació: *àvol* 'mal, dolent', *clasc* 'toc de campana', *endurar* 'dejunar', *jorn* 'dia' (C-S, 219) i *arlot* 'el qui viu d'una prostituta', *canusir* 'tornar-se els cabells blancs', *puella* 'donzella', *gaubar-se* 'burlar-se, vantar-se'; alguns d'aquests arcaismes van marcats amb la indicació *ant.*: *àbac*, *cofrer*, 'tresorer', *quer* 'penyal'; i en altres casos la informació es desprèn de la definició mateixa: «*elm*: part de l'armadura antiga que cobria...».

Una de les tasques principals que hagué d'emprendre Fabra fou la depuració del lèxic català de les interferències –sobretot del castellà– que s'hi havien instal·lat després de llargues dècades d'exclusió de la llengua catalana dels usos formals. Va rebutjar els castellanismes flagrants (*apoiar* i *apoio*, *cadera*, *membrillo*, etc.), però va respectar les veus d'origen castellà que ja s'havien assentat de feia anys en la llengua, com ara *quedar*, *buscar*, *senzill*, *llàstima*. Es fa difícil, però, establir un criteri absolutament satisfactori pel que fa al cas. Així, Fabra va deixar de banda mots com *fondo*, *tartamut*, *alabar* –posteriorment admesos per la Secció Filològica de l'Institut d'Estudis Catalans–, *despedir*, *entregar*, *apretar*, *caldo*, *misto*, *cuidar*, etc.: n'hi ha que tenen actualment el vist-i-plau d'estudiosos de la llengua (v. *DECat*, *cuidar*, *curar*) i fins i tot han penetrat en obres lexicogràfiques de caràcter general (v. §§ 8 i 10.32). També va admetre estrangerismes generalitzats en totes les llengües de cultura: *cursi*, *esquí*, *handicap*, *hoquei*, *lupa*, *postor*, *quartilla*; i s'hi van recollir àmpliament els tecnicismes de l'època: *bdel·li*, *centrolepidàcies*, *lúnula*, *opisòmetre*, etc., però en falten d'altres com *racista*, *zepelí*, *vodevil*, etc. (Solà 1987). Pel que fa als vulgarismes, especialment els relatius al sexe –les «paraules tabú»–, Fabra comparteix el puritanisme dels diccionaris de l'època: o els proscriu totalment (*carall*, *cardar*, *cony*, *fotre*, *titola*) o remet a un sinònim no connotat, sense cap indicació estilística. Així, *colló* remet a *testicle* (però no hi ha *acollonir*), *puta* a *prostituta*, *bardaix* a *sodomita* (però *sodomita* no hi té entrada). També hi trobem a faltar col·loquialismes no referits al sexe, com *clapar*, *dinyar-la*, *paio*, *pirar*, etc.

Les indicacions sobre la pertinença dels lemes a camps lèxics o a terminologies específiques són raríssimes en el *DGLC*, encara que abunden en la llista inicial d'abreviatures (*geog.*, *geol.*, *quím.*, etc.); així, *asòmat* 'incorpori', *ornitodelfs* 'monotremes', *nitril*, etc., apareixen sense cap marca. I el mateix podem dir sobre indicacions de nivell d'ús: *defunció* 'mort', *nyepa* 'mentida', *teca* 'vianda', sense cap més informació.

A la 4a edició (1966), a càrrec de Josep Miracle, s'hi inclogueren noves veus i accepcions provinents de la Secció Filològica de l'Institut i del mateix Miracle (amb marques que distingeixen tots dos casos) (v. «Suplement al Diccionari General de la Llengua Catalana (addicions, modificacions i supressions)», *Documents de la secció filològica, I,* IEC, Barcelona 1990, pp. 9-67). En edicions posteriors les incorporacions, supressions i modificacions s'han anat consignant en un apèndix, com més va més extens (25 pp. a la 22a ed., de 1986), la qual cosa fa incòmoda la consulta de l'obra.

Microstructura. En els articles, davant del lema hi pot anar un asterisc que indica que aquest ha sofert un canvi a la segona edició (1954, v. més amunt). En noms i adjectius que no són invariables s'indica la flexió del femení i es dóna la flexió del plural quan aquest no segueix les normes de les «Instruccions per al maneig...»; pel que fa als verbs, s'assenyalen les inflexions irregulars; hi figura la classe de paraula (*m.* 'substantiu masculí', *v. tran.*, *v. pron.*, etc.). Ocasionalment hi ha informació sobre l'origen del mot, en manlleus d'altres llengües (*chamba, crol*), i del seu caràcter *d*[ialectal] o *arc*[caic] (v. més amunt); o de variants formals (*cuir*, [o *cuiro*] i *tomata, tomàtec, tomàtic, tomàtiga*, entre d'altres. El procediment general per separar les diverses accepcions i subaccepcions és el de les dues barres verticals (accepcions) i la barra vertical (subaccepcions), com fan molt diccionaris de l'època. Però a més a més, al *DGLC* trobem la barra senzilla, el punt i a part i el punt i coma, usades per a altres qüestions i sense un criteri sistemàtic: la barra vertical pot indicar un canvi de categoria només exemplificat (*datiler*, *decrescendo*, *declinatori*), la introducció d'una locució adverbial (*davant*, *darrera*); el punt i a part pot indicar un canvi de categoria (*dalt*, *infinit*), d'accepció (*passat*), de règim verbal (*declinar*) o la introducció d'un sintagma lexicalitzat (*dent de lleó*, a *dent*); el punt i coma pot separar accepcions (*gord*) o subaccepcions (*golosia*). Conté exemples abundants (v. més avall) i en ocasions modismes i fraseologia.

Pel que fa a les definicions, s'han destacat repetidament les característiques de claredat, precisió i economia del *DGLC*. Des del punt de vista tècnic, el *DGLC* s'inscriu en la tradició definicional que comença al segle XVIII i que es basa en el principi de substituïbilitat: la definició ha de poder substituir el *definiendum* o definit en qualsevol context; i presenta les deficiències tècniques que arrossega aquesta tradició (v. més avall). Seguint aquest principi, el *DGLC* opta, com la major part dels diccionaris contemporanis, per la definició inclusiva o perifràstica en el cas dels substantius i els verbs, i sovint per la morfosemàntica quan el mot conté un afix regular. Com en la majoria d'obres coetànies del *DGLC* i fins i tot actuals, el lexicògraf recorre en ocasions a la metallengua del signe («Dit de...», «Nom que es dóna...»). Colon-Soberanas diuen que això passa sobretot en adjectius (*cimbiforme*, *cursiu*, *elzevirià*, etc.), però també abunda en els substantius (*pluig*, *hel·lenista*). Així mateix no és estrany trobar en la definició informació externa: *arlot* «Mot despectiu...», *tabes* «En medicina,...», *búcar* «...En alguns llocs...».

J. Rafel (1988) ha assenyalat deficiències metodològiques del *DGLC* a partir de l'anàlisi de sèries sinonímiques: no es respecta el principi de remetre totes les entrades secundàries a una de principal i hi sovintegen les definicions múltiples (*bordall* 'rebrot, tanyada d'un arbre fruiter'), la qual cosa dificulta l'estructuració global del lèxic del diccionari. Aquest autor també ha estudiat els elements impropis dels articles del Fabra i l'ús dels parèntesis en relació amb els elements intrínsecs i extrínsecs de la definició (Rafel 1989). Una deficiència d'aquesta obra que tampoc no milloren els diccionaris posteriors és l'ambigüitat en les definicions sinonímiques que remeten a una paraula que té més d'una accepció. Així, al *DGLC* trobem que *llevar* remet a *alçar* i *aixecar*, sense aclarir en quines accepcions aquests últims poden ser substituïts per *llevar*.

Hi ha autors que han destacat (C-S i Solà 1987, entre altres) la importància d'indicar entre parèntesis el complement directe en les definicions de verbs transitius (mètode que segueix també el *Dictionnaire général...* de Hatzfeld, Darmesteter i Thomas, entre d'altres), cosa que facilita la prova de substituir el definit per la definició i alhora dóna informació sintàctica i semàntica: «*desfruitar*: despullar (una planta) del seu fruit». Els autors esmentats assenyalen que aquest aspecte col·loca el Fabra per damunt de tots els diccionaris contemporanis de l'estat espanyol. El tal procediment no s'aplica en el cas dels verbs transitius de doble règim o pronominals; en aquests casos la informació sintagmàtica s'haurà de buscar en els exemples. Els exemples són una altra de les característiques significatives de l'obra que ens ocupa: elaborats *ad hoc*, o inspirats clarament en el *Dictionnaire* esmentat més amunt (C-S, p. 227), ens informen sobre aspectes de col·locació (*final*: examen final, judici final; *calar*: calar foc); de règim preposicional (*interessar*: s'interessa molt per...; *fàcil*: fàcil de fer; *lluitar*: lluitar contra, lluitar per, lluitar amb...); sobre modismes i locucions (*fer*) i, com tots els diccionaris, sobre la ideologia de l'autor i de l'època (v. *cancan*, *histèria*, *monarquia*, *república*, *xisclar*, etc.). Per a l'aspecte concret de la discriminació femenina, vegeu Lledó (1992), i també Riba (1992).

Un altra qüestió destacable de l'obra que ens ocupa és l'abús de la «definició científica», fruit de l'escrupolositat de Fabra a l'hora de fixar la terminologia (Riera i Vallès 1991) i de la confusió entre «diccionari de paraules» i «diccionari de coses» (o de la dificultat de delimitar-los). Això dóna com a resultat definicions poc aclaridores en una obra adreçada al públic general, no especialitzat, que obliguen el lexicògraf a utilitzar definidors menys freqüents que el definit (*pastanaga* «umbel·lífera cultivada...», *bleda-rave* «quenopodiàcia conreada...», etc.). D'altra banda, la terminologia científica és un dels camps en què el *DGLC* ha quedat més desfasat.

El Fabra no abusa tant com els seus contemporanis de les definicions enciclopèdiques o amb elements impropis, però n'hi ha força (*bou-vaca*, *catúfol*, *pany*), al costat d'altres –poques– clarament insuficients (*papafigues* i *teïna,* per exemple, que defineix respectivament com 'ocell' i 'cafeïna', sense altra indicació).

Tot i que aquesta obra no ha sofert una actualització rigorosa, metodològicament no ha estat superada; continua sent un punt de referència indispensable en la producció lexicogràfica contemporània en llengua catalana i conserva el seu vigor com a obra de consulta, sobretot per al lèxic comú.

Darrerament el *DGLC* ha estat objecte d'estudis, com els de Soler i Bou (1992) o Lluís Maria Sol (1992), a part els treballs inèdits realitzats per a l'elaboració del *Nou diccionari de la llengua catalana* (v. § 10.1).

Altres diccionaris generals

10.3 La situació de la llengua en les dècades posteriors a l'aparició del Fabra i el caràcter de diccionari oficial que conferia a aquest l'Institut d'Estudis Catalans no afavorien gens l'aparició d'altres diccionaris de caràcter general. Els que van aparèixer en les dècades dels anys seixanta i setanta, i fins i tot els més recents, es caracteritzen per una forta dependència del *DGLC.*

Els diccionaris generals posteriors al Fabra parteixen de la macrostructura d'aquest, gairebé de forma exclusiva (però v. § 10.2.4). Per tant, manifesten uns desequilibris semblants pel que fa a la representació de les diferents àrees dialectals (que en les obres més modernes és molt més matisat) o a la proporció dels diversos camps lèxics (per bé que hi són molt més abundants les indicacions diatòpiques, diatècniques, etc.).

De fet, llevat del *Diccionari manual de la llengua catalana* (v. § 10.8) no hi ha cap obra que es plantegi explícitament una revisió de la macrostructura del Fabra, la qual s'amplia, bàsicament, amb neologismes, sobretot dels camps de la ciència i de la tècnica, amb estrangerismes, amb dialectalismes o veus considerades vulgars o col·loquials, i també amb el que en podríem dir les possibilitats del sistema (formació d'adjectius deverbals o utilització d'altres processos de derivació i composició). La justificació de totes aquestes innovacions, sense tenir un corpus de dades extens sobre la llengua actual (v. § 10.1), es basa en l'opinió o la intuïció de cada autor. En donarem un exemple. Els redactors del *Diccionari manual Pompeu Fabra* van decidir suprimir uns quants articles del *DGLC* en la seva adaptació, supressió que tenia com a motiu «o bé la desuetud d'un element lingüístic en el qual no s'ha pogut trobar cap al·licient per a salvar-lo o bé l'opció d'un substitut més escaient conjuminant-se amb la tendència a l'eliminació de dobles formes, sobretot les gràfiques, tal com recomanava Ramon Aramon i Serra en l'"Advertiment" a la tercera edició del DGLC» (p. XIII de la presentació de la primera ed. del *DMF*). Així, trobem al *Diccionari de la llengua catalana* (*DLC*) i al *Gran Larousse català* (*GLC*) paraules com *babaia* 'babau', *baderna* 'tros de llata... usada per a fermar el cable al virador quan era usat l'argue', *bandola*[2] 'colla' o *gamoi* 'ganso, lent', entre moltes altres que el *DMF* havia suprimit.

Pel que fa a la microstructura, les obres més recents incorporen moltes de les indicacions o marques que eren absents al *DGLC* (diatòpiques, diastràtiques, diacròniques, etc.). Els canvis més significatius afecten les definicions del lèxic científico-tècnic, que es renoven profundament a partir de l'aparició de la *GEC* (v. § 10.12) i del *DLC* (v. més avall). Aquesta renovació, però, encara allunya més les definicions d'un suposat usuari no especialitzat.

A continuació donarem una informació sumària dels diccionaris generals més importants.

10.4 Va aparèixer abans que el *DGLC* la primera edició del *Pal·las. Diccionari-català-castellà-francès* (Pal·las, Barcelona 1927) d'**Emili Vallès** (1878-1950; v. I, § 4.2), col·laborador de Pompeu Fabra a les oficines lexicogràfiques de l'Institut. Conté vocabularis castellà-català i francès-català, i vocabularis de topònims i antropònims. N'hi ha una edició posterior sense data [1947]: *Pal·las. Diccionari català il·lustrat amb etimologies i equivalències en castellà, francès i anglès*, que inclou il·lustracions, etimologies, indicacions ortoèpiques i equivalències en anglès, i els corresponents vocabularis castellà-català, francès-català i anglès-català. Una tercera edició (Massanés, Barcelona 1962) conté una addenda i una corrigenda, i a més incorpora a les pàgines finals una llista d'uns quants centenars de mots i de sintagmes sobre «Terminologia tècnica d'ús en aeronàutica, ciències físico-químiques, electricitat, electrònica, ràdio, submarinisme, televisió, etc. etc.» (p. 1057). Es tracta d'uns 550 articles, la majoria amb informació molt detallada, que molt sovint no apareixen als diccionaris catalans de l'època (n'hi ha algun que ni tan sols apareix als dels anys 90, com *erogen*). Hi trobem també *antibiòtic, astronauta, any llum, baffle, cibernètica, gel* 'col·loide', *interfon* 'intèrfon', *isotop* 'isòtop', *shock, xerografia*, *zigot*, etc., que no apareixen fins molt més tard als diccionaris catalans.

Macrostructura. Es basa en el treball de les oficines lexicogràfiques de l'Institut, el «Diccionari Aguiló» i els de Bulbena (v. § 10.26), i (a partir de l'ed. de 1947) en el *DGLC* amb les incorporacions i modificacions de l'IEC. L'edició de 1962 conté uns 50.000 mots a tres columnes (uns quants centenars més que la de 1927), i suprimeix respecte a la primera els lemes que no surten al *DGLC* (per exemple, *emperlat, empiocat*, *empirista*, etc.).

Microstructura. No indica la categoria gramatical de noms, adjectius qualificatius i infinitius, i marca el gènere (*m.* o *f.*) només en casos dubtosos. Dóna una breu informació sobre l'origen de la paraula, i després de cada accepció (separades per números) indica les equivalències castellana, francesa i anglesa. «Per no estendre aquesta obra innecessàriament», segons diu al pròleg (p. VII), sacrifica les definicions de derivats en *-ble*, *-ció*, *-da*, *-dor* i *-ment*; tampoc no hi ha exemples ni fraseologia.

10.5 El *Diccionari català general* (Arimany, Barcelona 1965 [1968], [8]1984), de **Miquel Arimany**, conté unes 55.000 entrades entre les quals se n'inclouen 9.000 que no figuren al Fabra (dialectalismes, neologismes i tecnicismes, marcats amb un asterisc). En general manté la microstructura del *DGLC*, amb modificacions formals i d'altres que en ocasions milloren el Fabra (v. *bou-vaca*, *catúfol*, *pany*), i prescindeix dels exemples. Les dues primeres edicions (format usual) contenen dos apèndixs, un amb locucions i termes llatins i l'altre amb prefixos i formes prefixades, que se suprimeixen en les edicions posteriors de format «manual» i «portàtil».

Arimany és potser l'autor de diccionaris que més ha explotat les possibilitats del català, tant en el terreny del lèxic comú com en el de la neologia científico-tècnica. De manera que trobem a la seva obra una munió de mots que no apareixen en cap altra de similar: *elocutori* 'de l'elocució', *embalament, empanxonament* 'acció i efecte d'empanxonar', *empaperada*, *emparadisar* 'situar en el paradís' (al *DGLC* hi ha *emparadisat,* que Arimany suprimeix), *tanguista*; i *oniromància*, *opiofàgia*, etc.; però en canvi no hi ha *empastifador* o *empegueïdor* (al costat d'*empastifar* i *empegueir*).

10.6 **Josep Miracle**, deixeble i biògraf de Pompeu Fabra, és autor del *Diccionari manual de la llengua catalana* (Selecta, Barcelona 1975, [2]1982): de format reduït, que deixa quasi inalterades les 50.000 entrades del *DGLC*, a costa dels exemples i algunes accepcions. Inclou, sense cap indicació, un miler i mig de veus –la majoria neologismes– que no hi havia al *DGLC*. Aquest mateix autor ha publicat recentment el *Diccionari de la llengua catalana* (Selecta-Catalònia, Barcelona 1987) amb la intenció de depurar de castellanismes el *DGLC*, seguint –ens diu en el pròleg– les intencions del Mestre. En aquest pròleg s'inclouen les veus que l'autor elimina i entre parèntesis les formes que proposa: *canut* i *canós* (grisenc, grisós), *perruquer* (barber), *perruquera* (pentinadora), *rufià* (arlot), *sabatilla* (pantofla), entre altres. No hi ha cap plantejament metodològic innovador. Darrerament Miracle ha publicat una versió ampliada d'aquest diccionari, *Diccionari nacional de la llengua catalana*, El Llamp, Barcelona 1993.

10.7 El *Nou diccionari de la llengua catalana* de **J. B. Xuriguera** (Claret, Barcelona 1975, [7]1985): conté el corpus del *DGLC* actualitzat, sense exemples i estructurat per famílies de paraules. És el primer diccionari modern català que introdueix una organització de la macrostructura distinta de la purament alfabètica; però la complicació que suposa per a la consulta la inclusió en la mateixa família de paraules de mots patrimonials i de cultismes, i la manca de remissions a dins del corpus, en pot dificultar la consulta (p. ex. *frugívor* apareix a l'article encapçalat per *fruita, bucal* a l'article *boca*, etc.).

10.8 Té més interès una actualització del *DGLC*, el *Diccionari manual de la llengua catalana* (Edhasa, Barcelona, 1983, [13]1994), realitzada per un equip de redactors. Incorpora neologismes i tecnicismes –aprofita el cabal lèxic de la *GEC*–, té una actitud més oberta envers la llengua col·loquial (*caldo*, *porro* 'cigarret amb droga...') i envers els dialectalismes (inclou *trempar*, *trempó*, *grampó*, *gramponador*, etc.), i modernitza o amplia en molts casos les definicions del Fabra (les addicions dels autors van marcades amb «a» i les modificacions amb «m»). Hi ha intents de millorar aspectes de tècnica lexicogràfica del *DGLC*, com la uniformització del tractament de gentilicis o les classificacions botàniques i zoològiques. Els editors hi incorporen 8.000 articles i 8.000 accepcions més respecte a l'edició del 1932 del *DGLC;* i hi ha un grapat de supressions consignades al final de l'obra (v. § 10.3). Les entrades s'organitzen en una doble macrostructura, a partir d'aglutinacions «adoptades tant en cerca d'estalvi [d'espai] com d'una estructura viva» (p. XIII de la presentació de la primera ed.) basades en el parentiu etimològic; a cada article apareixen les primeres lletres del lema, que no coincideixen necessàriament amb el radical, separades amb una barra de la «terminació», a continuació trobarem el conjunt de mots que comencen per aquestes lletres, que no es repetiran, cada un dels quals va seguit de la informació corresponent. Així, a *fruir* trobem, entre altres: *fru/ir...*, */cticultor...*, */ cticultura...*, */gal...*, */gífer...*, */gívor...*, etc.; i a *fugir: fu/gir...*, */ga...*, */it...*, */ ita...*, etc. cosa que permet agrupacions onomasiològiques interessants per al treball lingüístic, si bé pot representar un entrebanc per a la consulta, sobretot en el cas d'usuaris poc experimentats, com passa amb el diccionari de Xuriguera (v. § 10.7). Els articles mantenen la mateixa organització de les accepcions que el *DGLC* i, en general, els mateixos exemples, amb les addicions i modificacions que s'han comentat. S'han ocupat d'aquesta obra, en treballs breus, Lamuela (1983) i Lacreu (1985).

10.9 Des d'una perspectiva valenciana, **Francesc Ferrer Pastor**, amb el *Diccionari general* (Ed. Fermar, València 1985), intenta cobrir les deficiències que pel que fa al lèxic valencià presenten els diccionaris generals catalans (v. § 4.4). Inclou mots freqüents en la tradició lexicogràfica valenciana que no recull el *DGLC* i concedeix prioritat a les variants formals valencianes –compartides sovint amb el dialecte balear o el nord-occidental– que Fabra preteria en favor de les del dialecte central: *amarar* enfront d'*amerar*, *fenoll/fonoll*, *traure/treure*, etc. No és estrany trobar-hi mots que no ha recollit el *DCVB* (*fulé* 'teixit fi de llana', *futreu* 'multitud') o el *DECat* (*ganfarra* 'peresa', *gatara* 'argelaga'). Les seves 55.000 entrades, amb equivalència castellana, comprenen nombrosos gentilicis, topònims i antropònims. No presenta cap innovació respecte a tècnica lexicogràfica; els articles són més breus que els del *DGLC* i no porta exemples ni, en general, fraseologia.

El diccionari de la GEC

10.10a El *Diccionari de la llengua catalana* (*DLC*) (Enciclopèdia Catalana, Barcelona 1982) és el resultat de recollir el lèxic comú de la *Gran enciclopèdia catalana* (v. § 10.12) i gran part del seu lèxic especialitzat. Conté unes 75.000 entrades i se li concedeix caràcter normatiu (fins a l'edició de 1994; v. § 10.10b).

Fonts. El *DGLC*, el *DCVB* i el *DECat* –d'aquest, els tres primers volums– més alguns vocabularis i diccionaris especialitzats d'aparició posterior a l'enciclopèdia. El prologuista i assessor de l'obra, R. Aramon, remarca l'aportació que representa en el lèxic científic i tècnic.

Macrostructura. El major nombre d'incorporacions es produeix en el camp de la terminologia. Hi abunden els termes històrics (*cabdal*, *cabdellador*, *cabeçatge*, *cabelleraire*), científics (*maastrichtià*, *cabalímetre*, *macaronèsic*), d'heràldica (*cabellat*, *mirallat*, etc.) i fins i tot els de caràcter enciclopèdic (*maccarthisme*, *salafisme*, *salernità*, etc.). Manté en general el lèxic del Fabra; no n'elimina els arcaismes, més aviat n'afegeix, amb indicació d'aquest caràcter (*àvol*, *aital*, *aitambé*, *aitampoc*, *entrò*, *senyer*, *sènyer*) o sense (*clasc*, *cornell*, *drut*, *endurar*, *endurança*, *jorn*, *puella*, etc.). És més restrictiu que el Fabra en l'aspecte normatiu: s'hi suprimeixen entrades com *antesala*, *rodejar*, *rodeig*, *vano*, *fincar-se* i formes verbals o construccions col·loquials que el *DGLC* recollia en exemples: *anem's-en* per *anem-nos-en*, *mireu's-el* per *mireu-vos-el*; elimina les referències a les formes *sigut* i *sigués, siguessis...*, que el *DGLC* incloïa a l'article *ésser*, i considerava «menys bones» que *estat, fos,* etc. També hi falten molts derivats usuals en la llengua actual (*professionalitat*, *acollida*, *vetar*, *avituallament* –que figuraven a l'enciclopèdia). La incorporació d'estrangerismes i neologismes és notable, tot i que hi ha incongruències en l'adaptació gràfica (*status*, però *estop*; *hittita*, *ziggurat*, etc.). Entre els primers en trobem de molt arrelats com *barman*, *best seller*, *cassette*, *hamster*, *input*, *jazz*, *jeep*, *màfia*, etc., però en falten altres com *stress* i *suite*, que figuraven a l'enciclopèdia, i *clown*, que a més era al *DGLC*. Tampoc no s'hi han recollit *flash*, *esquetx*, *hobby*, *holding*, *impasse*, etc. En els neologismes també es produeixen incongruències: hi ha termes com els següents, però hi falten els que donem entre parèntesis: *reificació* (*reificar*), *extramurs* (*intramurs*), *interrelació* (*interrelacionar*), *privatització* (*privatitzar*), etc. Respecte als regionalismes, encara hi falten veus habituals de les grans àrees dialectals (v. § 10.1): *baldador*, *baldar-se*, *buixir*, *flas*, *saldrocar*, *xorra* 'nyonya' –que figurava al *DGLC*–, entre les nord-occidentals; *cruiar*, *faldetes*, *grampó*, *llosca*, *rapinyar*, *trempar*, *trempó*, entre altres, del mallorquí; o *apegar*, *atalbar*, etc., del valencià.

Microstructura. Conté en general indicacions sobre el camp lèxic (no a *asòmat*, *obrepció*, etc.). Distingeix formalment més bé que el Fabra accepcions i subaccepcions (amb números i lletres), tot i que en ocasions en surt perjudicada l'agrupació semàntica dels significats (*cura*). Actualitza les definicions sense variar-ne la concepció, i inclou noves accepcions sobretot de caràcter científico-tècnic. Hi ha definicions en metallengua del signe («Dit de...»), les que hi havia al Fabra i altres en les noves incorporacions (*emarginat, hematina, hemeralop*). Prescindeix sovint –inexplicablement– dels parèntesis amb què el Fabra sol assenyalar el complement directe (*infligir*, *edificar*, *educar*, *estudiar*, etc.) i a vegades col·loca entre parèntesis elements intrínsecs de la definició (Rafel 1989, p. 448, n. 19); aquest augment d'informació i la subsegüent separació en moltes subentrades perjudica la relació semàntica entre accepcions (v. Lamuela, 1983). La informació sobre règim i col·locació no és clara, no està separada de l'estructura de l'article, però a vegades es pot deduir dels exemples, la majoria dels quals són els mateixos del Fabra. En ocasions les incorporacions d'accepcions tècniques són tan abundants que la consulta resulta incòmoda (vg. *nombre*, *peu*, *punt* –dues columnes al *DGLC*, quatre al *DLC*, etc.). L'abundància d'informació i el fet de recollir pràcticament la del *DGLC* ha convertit aquesta obra en una mena de segon Fabra pel que fa al caràcter normatiu, tot i que se li ha criticat que és excessivament purista i que aporta poques innovacions en la metodologia lexicogràfica.

10.10b L'any 1994 ha aparegut una edició ampliada i revisada d'aquest diccionari (*DLC*[3]), la qual, a més de recollir les novetats lèxiques de la segona edició de la *Gran enciclopèdia catalana* (1986-1989) i l'abundant fraseologia dels diccionaris bilingües publicats per la mateixa editorial, sobretot els dos diccionaris *Castellà-català / català-castellà*, es caracteritza per la inclusió de mots o d'accepcions no sancionats per l'IEC, amb la qual cosa abandona implícitament el caràcter normatiu que fins ara se li havia atorgat, decisió que s'explica també per la imminent aparició del *Nou diccionari general de la llengua catalana* (v. § 10.1). Així, apareixen al *DLC*[3] mots com *aplic* 'llum, canelobre, de paret', *autoservei*, *auditoria*, *blanqueig* i *blanquejar* '... convertir el diner negre en legal', *consensuar*; però també *caldo*, *clero*, *cuidar* 'tenir cura...', *distorsionar*, *entregar*, etc.; al costat de nombrosos estrangerismes en la forma original, *disc-jockey*, *flash*, *flashback*, *sketch*, *smash*, etc. o de formes o expressions col·loquials o vulgars, com *follar* 'cardar'.

Es manté la característica de les anteriors edicions, de donar indicacions exhaustives sobre el camp semàntic o temàtic del mot, sobre el nivell d'ús i sobre la distribució territorial, amb uns quants canvis respecte a l'edició anterior. Desapareix la marca *fam*iliar, subsumida en *colloq*uial, i les marques *mall*orquí, *men*orquí, *eiv*issenc, *val*encià, subsumides en *reg*ional.

Hi ha un canvi important en la presentació de les subaccepcions, que en edicions anteriors anaven encapçalades per una lletra minúscula (*a*, *b*, etc.) i en la tercera per una xifra en cursiva i negreta, la qual cosa pot resultar confusa en consultes d'articles llargs (les accepcions van precedides també d'una xifra en negreta rodona).

Enciclopèdies

10.11 Tot i que no són de caràcter estrictament lexicogràfic, és important esmentar el paper de les enciclopèdies en aquest terreny. El primer diccionari enciclopèdic català es publicà per entregues a principi de segle: era el D*iccionari de la llengua catalana* (Salvat, Barcelona [1904-1910], 3 vols.; després *Diccionari enciclopèdic de la llengua catalana*, Salvat, Barcelona 1930-1935, 4 vols.; i *Diccionari enciclopèdic català*, 1938, en un volum). Entre 1968 i 1970 s'emprèn una nova reedició actualitzada d'aquesta obra, en quatre volums, el 1976 en vuit i el 1985 en deu. La part lèxica, que s'abeura en les fonts «clàssiques» –el *DGLC* amb les successives modificacions de l'Institut d'Estudis Catalans– i d'altres que no especifica (segurament de les successives edicions del diccionari de Labèrnia, v. C-S, p. 156). L'edició de 1985 conté veus poc o gens conegudes: dialectalismes (generalment d'ús restringit), estrangerismes i neologismes que sovint no recullen els diccionaris que tenim a l'abast, inclòs el *DECat*: *andraig* (el *DCVB* enregistra *andraix*), *annerotada* (bal.), *àriga* ('alga' en alguerès), *ariol* 'bruixot, endeví', *balit* 'pols del castanyer', etc., quant als dialectalismes; *al·ligator*, *amok* 'trastorn psíquic, observat sobretot a Malàsia...', *malm* 'nom local de les pedres angleses...', etc., quant als estrangerismes, un àmbit en què es mostra molt obert (*flipper* 'màquina-passatemps...', *flip-flap* 'salt acrobàtic...', *ombudsman*, etc.). Inclou, a més a més, etimologies, equivalències castellanes i exemples. Aquesta obra, potser per la seva difusió comercial o pel fet de no tenir autor conegut (si més no de forma explícita) és ignorada pels estudiosos de la lexicografia contemporània.

10.12 Modernament, l'empresa més important en l'àmbit enciclopèdic ha estat la *Gran enciclopèdia catalana* (Edicions 62/Enciclopèdia Catalana, Barcelona 1970-1980, en 15 vols.; *Suplement* (de 1983), *Segon suplement* (de 1989), *Tercer suplement* (de 1993); [2]1986-1989, en 24 vols.). Concebuda per omplir el buit que hi havia en aquest camp de la bibliografia catalana, un 10 % és pura lexicografia, recollida posteriorment al *Diccionari de la llengua catalana* (v. § 10.10a). La part lèxica ha estat especialment tractada en aquesta obra, sobretot pel que fa a la terminologia científica i tècnica, on s'han tingut en compte les solucions adoptades per les altres llengües romàniques (especialment l'italià, el castellà, el francès i, en ocasions, el portuguès i el romanès) i l'anglès i l'alemany. Obres de consulta constant en aquest àmbit han estat el *Bibliography of monolingual scientific and technical glossaries* d'Eugen Wüster, i la *Bibliography of interlingual scientific and technical dictionaries*, ambdues publicades per la UNESCO. Per al lèxic comú es van tenir en compte, a més del *DGLC,* el *DCVB,* el *«Diccionari Aguiló»* (v. § 8.1), el Labèrnia, el d'Esteve-Bellvitges-Juglà, el quintilingüe (v. § 7.4) i el *Gazophylacium* (v. § 2.19).

10.13 L'última obra de caràcter enciclopèdic apareguda en català és el *Gran Larousse català* (Edicions 62, Barcelona 1987-1992, 10 vols.) Es tracta d'una adaptació del *Grand Larousse en 5 volumes,* Librairie Larousse, Paris 1990, pel que fa a textos, il·lustracions, mapes, etc., llevat dels temes catalans. Pel que fa a l'aspecte lexicogràfic, els punts més destacables són la incorporació d'una gran quantitat de neologismes de caràcter científico-tècnic, i la introducció de mots i construccions –seguint especialment les indicacions de Coromines al *DECat*– que fins al moment no són considerats normatius (*caldo*, *caliquenyo*, *captiveri*, etc., v. llista completa al pròleg, vol. 1). Es mostra també obert als dialectalismes («formes pròpies d'algunes zones de parla catalana»), dels quals en recull un miler: paraules com *calcetí*, *cossiol* 'test', *esvarar* 'relliscar' o *s'empinnar* 'exaltar-se' no havien aparegut mai en els diccionaris del

Principat; però, com és comprensible, l'obra no és tampoc exhaustiva en aquest camp: hi trobem a faltar *baldador*, *baldar*, *creïlla*, etc. Incorpora la pràctica totalitat de les locucions i frases fetes de Joana Raspall i Joan Martí (*Diccionari de locucions i frases fetes*, Ed. 62, Barcelona 1984).

Diccionaris onomasiològics

10.14 Així com els diccionaris de significats o semasiològics tenen una funció descodificadora (permeten anar del significant al significat), els onomasiològics van del significat al significant, són «codificadors». L'aparició tan tardana de diccionaris catalans d'aquest tipus i les mancances que encara hi ha en aquest terreny estan directament relacionades amb la situació social de la llengua.

Hi ha algun diccionari bilingüe (v. § 10.27) que ha intentat cobrir la falta d'obres d'aquest tipus en català, que modernament no apareixen fins a la dècada dels anys setanta. Es basen en el corpus lèxic del Fabra, que mantenen o redueixen segons criteris que no expliciten, i aporten una informació semàntica i d'ús tan escassa que resulten poc segurs per a l'usuari que no conegui bé la llengua.

10.15 Cronològicament el primer a aparèixer i el més extens –unes 50.000 entrades– és el de **Santiago Pey i Estrany**, *Diccionari de sinònims, idees afins i antònims* (Teide, Barcelona 1970, [6]1979): recull quasi totalment la macrostructura del Fabra, i hi afegeix lèxic més especialitzat de botànica, ornitologia, ictiologia, etc. Inclou un vocabulari de barbarismes (v. § 9.3). Es limita a donar llistes de sinònims i antònims (separa amb barres inclinades els conjunts de sinònims afins), sense cap altra indicació de proximitat semàntica, d'extensió dialectal o de caràcter estilístic. Per exemple: «*guarnir* fornir, proveir, moblar. // Arrear, ornar, arregnar, arborar, enflorar, enramar», fins a 35 mots. De concepció similar són el *Diccionari pràctic de sinònims catalans, mots i frases* de **Joana Raspall** i **Jaume Riera** (Arimany, Barcelona 1972, [2]1982), sense antònims i complementat amb una llista-índex de fraseologia, i el *Diccionari català de sinònims* (Aedos, Barcelona 1972) d'**Albert Jané**, amb 30.000 entrades aproximadament –prescindeix de les veus menys corrents del *DGLC*–, sense antònims ni locucions ni modismes.

10.16 De concepció distinta és el *Diccionari de sinònims* (Pòrtic, Barcelona 1971, [4]1986) de **Manuel Franquesa**. Partint també del *DGLC*, i del *DCVB* per a locucions i fraseologia, s'inspira en l'organització del *Dictionnaire de synonymes* de H. Bénac, i agrupa les veus sinònimes i afins sota una sèrie relativament curta de paraules «pilot» (unes 15.000), algunes de les quals remeten a un sinònim més freqüent. Indica paraules afins i antònims, i recull una fraseologia abundant. Diferentment dels anteriors, aquest dóna una breu definició o algun exemple en molts casos en què, a criteri seu –però *enartar* 'encantar', sota l'entrada *bell*, i *betzol* i *albat*, sota *beneit* no porten cap indicació– poden interessar a un lector mitjanament culte. Abunden les informacions sobre l'ús (*fam.*, *vulg.*, etc.) o estilístiques (*iròn.*, *hiper.*, etc.), o sobre el camp semàntic de la veu en qüestió (*anat.*, *bot.*, etc.), imprescindibles en el tipus d'obres que ens ocupen. Inclou barbarismes i recull mots de caràcter tècnic o molt específic que no són al Fabra, amb la indicació pertinent. El *Vox, Diccionari manual de sinònims (amb antònims i exemples)* (Bibliograf, Barcelona 1973, [5]1991) presenta una estructura similar. Conté 10.000 entrades aproximadament, amb explicacions àmplies i abundants, de caràcter didàctic, relatives a l'ús i al significat dels sinònims, amb alguns exemples. És l'únic que indica la categoria gramatical i el tipus de verb. No inclou locucions ni fraseologia.

10.17 Hi ha un altre tipus de diccionari onomasiològic especialment descuidat en català, el diccionari ideològic. Fins ara disposem del *Breu diccionari ideològic*, amb correspondència castellana, de **Xavier Romeu** (Teide, Barcelona 1976), de caràcter escolar, que divideix el lèxic en 20 camps semàntics, vuit de referits al cos humà i al seu medi, i la resta a l'esperit humà i la seva obra. No inclou definicions i registra molts sinònims dialectals. Conté il·lustracions. Més recentment ha aparegut el *Diccionari ideològic* d'**Ernest Sabater** (Barcanova, Barcelona 1990), de característiques semblants a l'anterior, amb moltes indicacions sobre usos col·loquials, no normatius, etc. També és molt modest el d'**Antoni Llull Martí**, *Vocabularis temàtics* (Ajuntament de Manacor, Manacor 1979).

10.18 La preocupació per elaborar el lèxic d'àrees específiques de la tècnica i de la ciència acompanya sempre els esforços de normalització lingüística, donat que aquestes àrees afecten àmbits formals d'ús de gran transcendència social (v. § 10.1). El català s'ha beneficiat tradicionalment de l'esforç de legions d'aficionats que han elaborat lèxics i vocabularis de camps específics, sovint d'escàs valor lexicogràfic (n'és una excepció la producció de **Carles Domingo**, recollida principalment al *Butlletí dels Seminaris d'Ensenyament de Català* (Barcelona), des del 1968).

10.19 A la dècada dels anys trenta, una fita important en el camp de la terminologia és l'obra de **Manuel Corachan**, *Diccionari de medicina amb la correspondència castellana i francesa seguit d'un vocabulari castellà-català i un de francès-català* (Salvat, Barcelona 1936). Es tracta del primer dels diccionaris terminològics moderns, que va ser revisat per la Secció Filològica de l'Institut d'Estudis Catalans. Conté uns 20.000 termes. La finalitat d'aquesta obra era triple: facilitar als metges l'escriptura dels seus treballs i que poguessin donar les seves conferències en un català correcte, permetre la comprensió exacta de les expressions dels malalts quan exposaven els seus trastorns i interpretar textos i manuscrits antics de medicina. Per això conté tres tipus de lèxic, el corrent, usat en general a Catalunya (*infant*, *infància*, *guant*), el de termes dialectals (*guaitó* 'sesta', *gueto* 'vell, avi') i el de termes arcaics (*posar* 'reposar', *infermat* 'malalt').

Fonts. A la p. XIV es dóna una relació d'una setantena d'obres dels segles XV al XX, de les quals s'ha pouat per a l'elaboració de l'obra. La relació té interès perquè hi figuren moltes obres que no han estat despullades pels repertoris històrics catalans, com el *Libre de Albumesar de simples madesines*, d'Abu Masar (París, Bibliothèque Nationale, Mss, esp. 508, fol. 12*b*-48*d*), *Orda del viure. Consells per cada mes de l'any*, de Pere Albano (Biblioteca de Catalunya, Incunable Reg. 836), o el *Regiment d'hepidemia* d'Arnau de Vilanova (Biblioteca Vaticana), entre molts altres.

Macrostructura. El diccionari recull els tecnicismes relatius a la medicina però també «els mots populars que tenen una relació pròxima o llunyana amb coses mèdiques i moltes paraules antigues, curosament seleccionades, d'un gran nombre de textos i manuscrits sobre medicina, o que accidentalment s'hi refereixen, dels segles clàssics de la nostra llengua» (p. XI). N'hi ha que no apareixen ni al *DCVB* ni al *DECat:* *gurri* (*dit*) 'menovell' (València), *güelt* 'malaltís' (Solsona), *pelioma* 'taca lívida de la pell', etc. Hi ha quadres extensos i abundants dels músculs, dels ossos, de les venes, etc. Conté vocabularis castellà-català i francès-català.

Microstructura. A continuació del lema figuren les traduccions castellana i francesa. S'indica la categoria gramatical i l'extensió dialectal, amb molta precisió (*llançar* 'vomitar': Alacant, Llucmajor i Fraga), informació aquesta que ha estat superada per estudis dialectals posteriors.

Inclou també sinònims i veus afins, que completen el sentit de la paraula principal. En ocasions hi ha exemples breus i citacions de textos antics. Les locucions són abundantíssimes. (L'any 1974 el seu contingut es va aprofitar per realitzar un *Vocabulari mèdic*, Acadèmia de Ciències Mèdiques de Catalunya i Balears, Barcelona 1974, ^{2}1979.)

10.20 El recentment aparegut *Diccionari enciclopèdic de medicina* (Enciclopèdia Catalana, Barcelona 1990) és un digne successor del «Corachan», amb més de 83.000 termes i equivalències als i dels idiomes alemany, anglès, castellà, francès i italià, «el més complet de tots els diccionaris catalans d'un camp d'especialitat» (Marí 1991). A més conté noms propis, sigles, etimologies (no sempre, i sense criteris prou clars), dibuixos, diagrames i quadres. Inclou generosament sufixos i prefixos i hi ha un bon control intern de les remissions. En general no millora la informació diatòpica i diastràtica del Corachan, i hi falten moltes equivalències a altres llengües, sense criteri.

10.21 En els últims anys, per iniciatives individuals, institucionals i algunes vegades comercials han proliferat extraordinàriament els vocabularis i diccionaris terminològics, amb resultats desiguals. Sovint són simples llistes de mots seleccionats sense rigor i presentades amb informació lexicològica deficient o nul·la. Entre els recomanables podem esmentar el *Diccionari d'electrònica* (Pòrtic, Barcelona 1971) i el *Vocabulari de luminotècnia* (Institut d'Estudis Catalans, Barcelona 1979), tots dos de **Lluís Marquet**; el *Diccionari de la ciència i la tecnologia nuclears* (Edicions 62, Barcelona 1979), d'**Antoni Lloret**; el *Diccionari d'informàtica* (Cambra de Comerç, Indústria i Navegació, Barcelona 1978); el *Diccionari de l'utillatge químic* (Institut d'Estudis Catalans, Barcelona 1977), de **Salvador Alegret**; el *Diccionari general d'heràldica* (Edhasa, Barcelona 1982), d'**Armand de Fluvià**, etc., tots els quals han estat utilitzats en l'elaboració de la *GEC* o en parteixen. Una iniciativa notable en l'àmbit de la terminologia científica, i amb caràcter divulgatiu, fou el «*Full Lexicogràfic*», sèrie de quaderns publicats a Barcelona (11 números, 1978-1982) per una Comissió Coordinadora Lexicogràfica de Ciències, formada per membres de diverses institucions científiques.

10.22 Altres recopilacions notables que ressenyem breument són: el *Diccionari de l'art i els oficis de la construcció* (Palma de Mallorca, Moll, 1974), de **Miquel Fullana**, amb agrupacions ideològiques de mots i equivalències castellanes, i amb abundantíssimes il·lustracions, un aspecte en el qual no ha estat superat per cap obra posterior. En l'àmbit de l'arquitectura i la construcció, cal destacar l'aportació de **Buenaventura Bassegoda**, *Equivalencias catalanas en el léxico de la construcción* (Escuela Técnica Superior de Arquitectura de Barcelona, Barcelona 1966), amb entrades, etimologies i definicions en castellà, i equivalències en català; i *Glosario de dos mil voces usuales en la técnica edificatoria con las respectivas definición, etimología, sinonimia y equivalencia en alemán, catalán, francés, inglés e italiano* (Gustavo Gili, Barcelona 1972), entre altres. Més recentment ha aparegut el *Diccionari manual de la construcció* (Institut de Tecnologia de la Construcció de Catalunya, Barcelona 1986, [2]1988), amb cinc mil termes, equivalències en castellà i índex castellà / català. El *Diccionari jurídic català* (Il·lustre Col·legi d'Advocats de Barcelona, 1986), que aprofita la terminologia de la *GEC* i conté fraseologia jurídica i equivalències de veus i locucions en castellà, francès i italià; i *EOS. Diccionari terminològic català* (Vicens Vives, Barcelona 1993), que conté uns vuit mil termes, amb informació etimològica i classificació temàtica.

10.23 A partir de la creació del Termcat (v. § 10.24) podem dir que la producció de terminologia ha entrat en una fase normalitzada. En els darrers anys, cal remarcar la publicació pel Termcat dels vint-i-nou diccionaris dels esports oficials i de demostració, dels jocs olímpics celebrats a Barcelona l'any 1992 (*Diccionari de ciclisme*, *Diccionari de vela*, *Diccionari de gimnàstica*, etc.), i la col·lecció de diccionaris terminològics editats amb la Fundació Barcelona (*Diccionari d'anatomia*, *Diccionari d'antropologia*, *Diccionari de Sociologia*, etc.).

Termcat

10.24 Un esdeveniment de gran transcendència per a la fixació del lèxic català, en aquest cas en el terreny de la terminologia, és la creació, l'any 1985, del Termcat (Centre de Terminologia Catalana), sota el patrocini de la Generalitat de Catalunya i l'Institut d'Estudis Catalans. Fou dirigit al principi per M. Teresa Cabré (Cabré 1988) i actualment per Isidor Marí. Els seus objectius són la coordinació i la planificació de la investigació terminològica; la creació d'un banc de dades terminològiques informatitzades (BTERM) –d'accés públic– del català, amb informacions diverses per a cada terme i equivalències en altres llengües; la difusió d'obres terminològiques elaborades seguint els criteris que anirà fixant la institució, i la formació d'especialistes en terminologia. El Termcat ja ha dirigit l'elaboració de dotzenes d'obres lexicogràfiques dels temes més diversos, o les ha supervisades en col·laboració amb altres institucions (v. § 10.23) i ha donat a la llum diverses publicacions d'interès teòric i terminològic (*Bibliografia d'interès terminològic*, Departament de Cultura de la Generalitat de Catalunya, Barcelona 1987; entre d'altres). A més a més, des del febrer del 1988 difon el *Full de difusió de neologismes* (núms. 1-21, fins al juliol de 1994), amb les recomanacions i resolucions terminològiques del consell supervisor de la institució (v. Isidor Marí 1992, p. 19).

Diccionaris bilingües

10.25 El paper dels diccionaris bilingües en les llengües en situació minoritària pot considerar-se des de dues vessants: com una via per accedir directament a altres cultures o com una manera de facilitar l'aprenentatge només d'una altra llengua, afavorint així el procés de substitució (v. § 7.2 i 7.3). El panorama que presenten els diccionaris catalans contemporanis té aspectes que el relacionen amb la segona vessant: fins a la dècada dels anys setanta, es pot dir que només era possible trobar al mercat diccionaris bilingües castellà-català, català-castellà, i algun de francès-català, català-francès. Aquestes obres no incloïen transcripció fonètica, perquè es donava per suposat que tan sols tenien interès per als catalans, que ja coneixien la pronúncia del castellà (o del francès) i del català. D'altra banda, les dificultats amb què topa la lexicografia catalana a l'hora d'elaborar diccionaris generals, especialment la manca de dades fiables sobre l'ús real del lèxic seleccionat, i el volum excessiu de la macrostructura respecte a la microstructura, repercuteixen en la qualitat dels diccionaris bilingües, tot i que hi ha obres recents que tendeixen a superar-les (G. Haensch, 1988). A totes aquestes qüestions cal afegir-hi que cada autor sembla ignorar les solucions que proposen els altres (Beaulieu i altres, 1992).

Diccionaris català-castellà / castellà-català

10.26 En les primeres dècades del segle hi ha un bon grapat de diccionaris multilingües o bilingües, que solen reeditar-se diverses vegades, i que han estat poc o gens estudiats. A més del *Pal·las* (v. § 10.4), esmentarem el *Diccionari català-francès-castellà* d'**Antoni Bulbena** (Badia, Barcelona 1905), autor també del *Nou diccionari castellà-català* (Badia, Barcelona 1913), del *Diccionari de les llengües francesa i catalana* i *Diccionari de les llengües catalana i francesa* (Badia, Barcelona 1921), amb modismes i fraseologia abundant que no desmereix al costat de moltes de les obres posteriors. Per exemple, en el tractament que fa l'esmentat *Nou diccionari...* del mot castellà *agujeta*, «agujeta f. tira de pell, tireta. // cordó capçat. // pl. strenes. / cruiximent, capolament.//...», en comparació amb el tractament dels dos diccionaris castellà-català, català-castellà més difosos en els anys setanta (Moll: «agujetas f. pl. esbraonament.»; Albertí: «agujeta f. - Tireta.// f. pl. - Punxades que hom nota als músculs adolorits a causa d'un exercici violent.»). El de **Rovira i Virgili** (*Diccionari català-castellà & castellà-català*, A. López, Barcelona 1913; altres ed., 1919, 1923) és menys interessant, tot i que conté una col·lecció d'adagis (uns 1.200).

A partir dels anys quaranta, des dels succints d'Eduard Artells, *Vocabulari castellà-català abreujat* (Barcino, Barcelona 1958), *Vocabulari català-castellà abreujat* (Barcino, Barcelona 1961), la publicació d'aquesta mena d'obres ha estat incessant (Badia, 1976, pp. 78-79).

10.27 Entre els diccionaris de més envergadura i difusió tenim el de **Santiago Albertí**, *Diccionari castellà-català i català-castellà* (Albertí, Barcelona 1961, [15]1986; altres edicions en diferents formats), que té la intenció de donar a conèixer i reivindicar el català enfront del castellà; facilita informacions elementals –conceptes de llengua i dialecte, filiació del català com a llengua romànica– però necessàries en l'època en què va aparèixer. Com a objectiu secundari es planteja suplir l'absència de diccionaris ideològics o de sinònims, donant moltes equivalències catalanes a cada entrada de la part castellà-català. Conté apèndixs gramaticals, onomàstics i toponímics. Incorpora pocs modismes i locucions.

Font. Bàsicament el *DLC*, el *DCVB* en ocasions i dades de J. Coromines per a les llistes de topònims.

Macrostructura. Conté en general el lèxic del Fabra, en unes 55.000 entrades aproximadament per a cada part. Incorpora escassos dialectalismes i manté arcaismes (*drut*, *puella*, etc.) sense cap indicació.

Microstructura. Assenyala la categoria de les veus, però no la classe de verb. La característica més significativa són les llistes de sinònims mencionades, sense cap observació sobre context, nivell d'ús, extensió geogràfica, etc. Dóna molt poca informació sobre camps semàntics o terminologia, i és també escassa la relativa a fraseologia o col·locacions. No hi ha exemples.

10.28 De característiques semblants, però amb menys sinònims equivalents, és el *Diccionari usual català-castellà, castellà-català* (Arimany, Barcelona 1965; diversos tipus d'edició) de **Miquel Arimany**. Sembla inspirat directament en els diccionaris bilingües d'A. Albert Torrellas: *Diccionarios Pal-las. Castellano-catalán*, J. Horta, Barcelona 1932, [1934]; *Diccionaris Pal·las. Castellà-català*, J. Horta, Barcelona 1932; *Diccionari català-castellà*, Arimany, Barcelona 1959; i *Diccionari castellà-català*, Arimany, Barcelona 1959 [1960]; d'aquestes dues darreres edicions l'esmentat de Miquel Arimany reprodueix la maquetació, el tipus de lletra i gairebé tot el text, pàgina per pàgina.

10.29 Un intent de pal·liar el descuit en què els diccionaris bilingües habituals tenen els dialectes perifèrics el constitueix l'obra de **Francesc de B. Moll**, *Diccionari català-castellà / castellà- català* (Moll, Palma de Mallorca, [2]1978, publicat anteriorment, 1965, en 2 vols.). El seu autor ho és també, amb A. M. Alcover, del monumental *DCVB* (v. § 8.4).

Font. El *DGLC* i el *DCVB*.

Macrostructura. Conté prop de 60.000 entrades, que inclouen molts dialectalismes habitualment ignorats per les obres lexicogràfiques elaborades al Principat. També recull mots no sancionats per la normativa, sense cap indicació (*enxuf*, *enxufar*, *servici*, *cotejar*, *entregar*, *entrega*, *tantejar*). Com és habitual en aquestes obres, no s'explicita el criteri de selecció: hi trobem veus poc documentades (*salabruga*, *salicall*) absents de diccionaris similars i n'hi falten d'altres (*salejar*, *salador*) de més freqüents.

És una obra molt poc controlada pel que fa a la simetria de les dues parts, castellà-català i català-castellà. Per exemple, trobem a la part català-castellà les equivalències de *salicall* i *maçot*, que són les paraules *chorreo* i *picón*, respectivament; però aquestes no tenen entrada a la part castellà-català.

Microstructura. Dóna la categoria gramatical (però no la classe de verb, tot i que figura a la llista d'abreviatures) i a vegades fa alguna indicació semàntica. Facilita sinònims per a cada accepció, però sense informació estilística, diatòpica, etc. Així, qui busca l'equivalència castellana de *muchacho* es trobarà amb «*al·lot, noi, minyó, xic, xicot, xaval, gojat, bordegàs, bergant, brivall, vailet, macamet, garrit*», sense cap altra indicació. Porta modismes i locucions, però no hi ha exemples.

10.30 Altres obres menors són el *Diccionari manual castellà-català, català-castellà* (Biblograf, Barcelona 1974), amb inclusió de veus col·loquials no normatives; *Diccionari essencial castellà-català, català-castellà* (Diàfora, Barcelona 1982) i **Pere Elies**, *Canigó, diccionari català-castellà, castellà-català* (Ramon Sopena, Barcelona 1975), tots amb pronunciació figurada, només per al català en els dos últims (vegeu-ne una descripció més exhaustiva a Cabré-Lorente 1991).

10.31 L'aparició dels *Diccionari castellà-català* i *Diccionari català-castellà* (Enciclopèdia Catalana, Barcelona 1985 i 1987, respectivament) va representar un avenç considerable en el camp que ens ocupa. Les seves característiques físiques (2600 pàgines en dos volums) i la seva orientació els apartava clarament de les llistes de paraules amb correspondències que fins aleshores senyorejaven i exhaurien el panorama. Els editors es plantegen l'objectiu de cobrir els dèficits d'obres similars, tant en la macrostructura (incloent-hi termes de baixa freqüència i de circulació restringida) com en la microstructura (ampliant-ne el cabal de locucions i modismes i el nombre d'accepcions).

Fonts. Per al castellà, el *Diccionario de uso del español* (Gredos, Madrid 1977) de María Moliner i el *Diccionario de la lengua española* (Real Academia de la Lengua, Madrid [20]1984); i per al català, el *DLC* (v. § 10.2.3), el *DGLC* i el *DCVB*.

Macrostructura. Conté un lèxic molt abundant (pels volts de 80.000 veus), amb antropònims, topònims i participis amb valor adjectival. També inclou (per al castellà) abundants americanismes, en entrades i accepcions; en canvi, és auster en la inclusió de dialectalismes: hi persisteixen les absències indicades per al *DLC* i en desapareixen mots que figuraven en aquest (*espalmar* 'raspallar', *espalmador* 'raspall', *doi* 'disbarat', *doiut* 'desenraonat', *xot* 'be', *cus* 'gos', etc.); d'altres apareixen amb la indicació *reg[ionalisme]* (*tudar* 'espatllar', *ninada* 'criaturada'). Prescindeix d'alguns arcaismes del *DLC* (*drut*, *puella*) i en manté d'altres (*clasc*, *col·lotge*, *arlot*), sense cap indicació que els identifiqui.

La confrontació entre el volum «castellà-català» i el «català-castellà» posa de manifest el problema de la incorporació d'adjectius deverbals, provinents de participis, en els diccionaris catalans. Així, als articles del «castellà-català» *acogido, acomodado, acogotado, agachado* apareixen les equivalències *acollit, atemorit, arrepapat, ajupit,* que no tenen entrada pròpia en el «català-castellà» perquè tampoc no en tenen al *DLC* ni als altres diccionaris catalans. I passa el mateix amb adjectius com *implicat, intimidat, instal·lat, penjat sotmès, vençut*, etc., que fins i tot són usats habitualment com a noms.

Microstructura. Dóna la categoria gramatical i els plurals irregulars i marca els verbs irregulars (en un apèndix se'n proporcionen les conjugacions). Una millora considerable pel que fa a altres obres d'aquestes característiques s'aconsegueix amb la presentació de les accepcions, clarament distingides. S'indiquen alguns dels sinònims de la llengua terminal i sovint hi ha exemples que precisen el sentit i l'ús del terme. També s'indica quan la traducció és un castellanisme. És restrictiu respecte a les possibilitats de la llengua: no inclou *vetar*, *nerviosisme*, *acollida*, etc. i en el castellà-català falten veus com *masificar* i derivats, *coaligar*, *coaligado*, *primar*, etc. Sovint s'inclina per les solucions més allunyades formalment del castellà (*desvelar*: *desvetllar, desensonyar*, però no *desvelar*; *en ocasiones*: *a vegades*, etc.).

10.32 Al País Valencià podem assenyalar l'obra de **Ferrer Pastor**, *Vocabulari castellà-valencià* (Sicania Ed., València 1966) i *Vocabulari valencià-castellà* (Impremta Fermar, València 1970), i més recentment el *Diccionari Gregal valencià-catellà / castellà-valencià* (Gregal llibres, València 1987) de **Vicent Pascual**, que posteriorment apareixerà, amb un contingut idèntic, sota el nom de *Diccionari Tabarca* (Difusora de Cultura Valenciana (Tabarca), València 1990), amb una estructuració molt similar a la dels diccionaris bilingües castellà-català de l'Enciclopèdia Catalana, però en un sol volum. Conté unes 25.000 entrades per a cada part i presta una atenció especial al lèxic valencià (*columpiar* agrunsar, engronsar, gronxar), amb fraseologia i exemples abundants, amb una atenció especial a les formes valencianes i als col·loquialismes (inclou *caldo, clero, servici*). (V. Lacreu 1988.)

Altres diccionaris bilingües

10.33 En una situació lingüística i cultural com la de la societat catalana de les últimes dècades, l'accés a les altres cultures diferents de la castellana o la francesa es realitza a través d'aquestes. En conseqüència, no és estrany que fins a finals dels anys seixanta no trobem els primers diccionaris que relacionen el català amb el francès o l'anglès, apareguts a aquesta banda de la frontera. (Abans del 1936 comptàvem, però, amb les obres de Bulbena (v. § 10.26) i amb el petit però ben fet *Novíssim dicionari català-francès, francès català* (Llibreria Bonavía, Barcelona 1932) d'**A. de Rius Vidal**, entre d'altres.) De fet, es tracta més de vocabularis que diccionaris, amb una macrostructura molt deficient i sense fraseologia ni indicacions sobre col·locacions o ús. Tenen aquest caràcter el *Diccionari pràctic francès-català, català-francès* (Arimany, Barcelona 1968), i també el *Diccionari anglès-català, català-anglès* (Pòrtic, Barcelona 1973, ²1986) de **Jordi Colomer**. En canvi, resulta molt original i útil, a pesar del seu caràcter «bàsic», el *Diccionari bàsic francès-català* (Centre Pluridisciplinar d'Estudis Catalans, Perpinyà 1974; ³1981, ja esmentat a § 9.2) de **Lluís Creixell**, que conté molta informació sobre col·locacions i fraseologia, incorpora solucions pròpies del rossellonès, proposa neologismes, amb la indicació «proposition», a partir de possibilitats compositives del català diferents de les considerades pels dialectes del sud, que massa sovint adopten solucions calcades de les castellanes (com ara *escombraneu* pel francès *chasse-neige,* en comptes de *llevaneu*; o *barri barraquer* per *bidonville)* i no s'està de criticar les alternatives proposades per la llengua estàndard quan creu que són castellanismes (*avenç* per *avant-goût*, en comptes de *primer tast*) o alguns usos lingüístics («au Principat certains plumitifs tendent à écrire le gallicisme "tout court" inconnu de la langue parlée; on notera qu'il est inutile», p. 110, *court*). Vegeu per a més informació Solà (1977, pp. 270-277).

Actualment hi ha dues sèries de diccionaris bilingües de llengües altres que el castellà: la de l'Editorial Pòrtic, que té a més de l'esmentat el *Diccionari alemany-català, català-alemany* (1981, ²1986) de **Roser Guàrdia** i **Maria Ritter**; *Diccionari italià-català, català-italià* (1984) de **Jordi Fornas** i *Diccionari portuguès-català, català-portuguès* (1982) de **Clara Prat**, tots més a prop del vocabulari –llistes de paraules sense indicacions estilístiques, sense exemples, sense fraseologia, etc.–; i la sèrie d'Enciclopèdia Catalana, que en general representa una millora en el panorama d'aquesta lexicografia bilingüe.

Fins ara l'Enciclopèdia ha publicat el *Diccionari català-francès, francès-català*, de **Carles Castellanos** i **Rafael Castellanos** (1979, [2]1984), posteriorment publicat en dos volums, *Diccionari francès-català* ([4]1993) i *Diccionari català-francès* ([3]1993); *Diccionari alemany-català*, de **Günther Haensch** i **Lluís C. Batlle** (1981, [3]1993), i *Diccionari català-alemany*, de Lluís C. Batlle, Günther Haensch, **Tilbert Stegmann** i **Gabriele Woith** (1991, [2]1993); *Diccionari anglès-català* (1983, [5]1993) i *Diccionari català-anglès* (1986, [4]1994), tots dos de **Salvador Oliva** i **Angela Buxton**; *Diccionari portuguès-català* (1985, [2]1989) i *Diccionari català-portuguès* (1989), tots dos de **Manuel de Seabra** i **Vimala Devi**; *Diccionari rus-català* (1985, [2]1988), de **Dorota Szmidt** i **Monika Zgustová**, i *Diccionari català-rus* (1992), de Dorota Szmidt, Monika Zgustová i **Svetlana Bank**; *Diccionari bàsic català-japonès, japonès català* (1985), d'**Albert Torres**; *Diccionari català-hongarès* (1990), de **Kálmán Faluba** i **Károly Morvay**; el *Diccionari català-italià* (1992), de **Rossend Arqués**; i el *Diccionari català-neerlandès* (1993), d'**Ann Duez** i **Bob de Nijs**. I el *Diccionari llatí-català*, dirigit per **Antoni Seva**, amb més de 60.000 entrades. Contenen pels volts de les 40.000 entrades (llevat del japonès, més reduït, i del llatí), apèndix gramaticals, informació semàntica i fraseologia abundant. Tenen en compte els nivells d'ús i solen portar pronunciació figurada. La selecció del lèxic presenta els defectes de les obres generals que els serveixen de font (per al català), bàsicament el *DGLC* i el *DLC*. Malgrat aquestes característiques comunes, també hi ha diferències en l'elaboració de les obres publicades: per exemple, el *Diccionari anglès-català* conté un sistema ad hoc de transcripció fonètica; el *Diccionari català-alemany*, que és potser el més complet, presenta una doble macrostructura: els derivats s'inclouen al mateix article que l'arrel (com és usual en la lexicografia alemanya); i el *Diccionari japonès-català* és més aviat un vocabulari, etc.

Diccionaris escolars

10.34 L'existència o la viabilitat dels diccionaris escolars està estretament relacionada amb la presència de la llengua a l'escola. No és estrany doncs que en aquest terreny la producció catalana sigui escassa i, en general, recent. Amb les primeres temptatives d'introducció del català a l'ensenyament el paper dels diccionaris escolars era cobert de fet, com també passa sovint ara, per obres de format reduït que tot i no estar pensades per a ús escolar, semblava que podien complir més bé aquesta funció que un diccionari general. La més difosa al Principat és sens dubte el *Diccionari de la llengua catalana* de **Santiago Albertí** (Albertí, Barcelona 1975, [23]1989), que conté unes 20.000 entrades. Uns quants anys més tard trobem a les Balears, amb la mateixa funció, però amb caràcter de vocabulari bilingüe el *Diccionari escolar català-catellà / castellà-català*, de **Francesc de B. Moll** i **Nina Moll Marquès** (Editorial Moll, Palma de Mallorca 1984), reducció del diccionari bilingüe de Moll (v. § 10.29) i al País Valencià el *Vocabulari fonamental* d'**Enric Valor** (Plaza & Janés Editors, Esplugues de Llobregat 1988), amb 22.000 entrades, també bilingüe català-castellà, castellà-català, que introdueix paraules i locucions valencianes (v. Colomina 1991*a*).

Al Principat s'ha produït una renovació d'aquest àmbit, amb l'aparició del *Diccionari Barcanova de la llengua* (Barcanova, Barcelona 1985, [8]1993), d'unes 20.000 entrades, amb informació etimològica, observacions gramaticals, sinònims, antònims i famílies de paraules, exemples (molt pocs), profusament il·lustrat i amb instruccions detallades per al seu ús a les primeres pàgines (imprescindibles en un diccionari per a escolars). N'hi ha una edició en format reduït, *Diccionari Barcanova de la llengua bàsic* (Barcanova, Barcelona 1988, [8]1993), que suprimeix la informació etimològica i els exemples; i una edició ampliada, el *Diccionari manual de la llengua catalana* (Barcanova / Biblograf, Barcelona 1991), de més de 30.000 entrades. I per a destinataris de 8 a 12 anys comptem amb el *Primer diccionari* (Eumo editorial, Vic 1988, [5]1992; edició reduïda, [3]1993), amb unes 10.000 entrades.

L'últtima novetat en aquest àmbit és el *Diccionari junior* (Onda, Barcelona 1994), dirigit per **Lluís López del Castillo** i **Josep M. Cormand**, amb 15.000 entrades, sinònims i antònims, exemples i locucions, quadres i dibuixos. L'originalitat (i l'atreviment) d'aquesta obra és que, en la majoria d'ocasions, opta per substituir la definició amb un exemple, que sol anar seguit d'un aclariment definicional. Per exemple, «inacabable: *Allò era una història inacabable,* sense fi».

Diccionaris electrònics

10.35 Amb l'extensió de l'ús de la informàtica, l'aplicació dels nous mitjans tecnològics a la lexicografia és un fet de conseqüències incalculables, que permet posar a l'abast de l'usuari un seguit d'informacions simultànies en diversos suports (gràfic, fotogràfic, sonor) i de relacionar-les i combinar-les. L'aparició d'obres enciclopèdiques o lexicogràfiques en suport electrònic és molt recent (*The Academic American Encyclopedia* fou la primera enciclopèdia que aparegué en disc compacte, el 1992), i en català ha aparegut recentment l'*Hiperdiccionari català-castellà-anglès*, Enciclopèdia Catalana, Barcelona 1993, en disc compacte (CD-ROM).

S'ha confeccionat a partir del *Diccionari de la llengua catalana* (3a ed. ampliada i actualitzada, 1993, v. § 10.10a), el *Diccionari ortogràfic i de pronúncia* de Jordi Bruguera (2a reimpressió corregida, 1993), el *Diccionari català-castellà* (1987) i el *Diccionari català-anglès* de Salvador Oliva i Angela Buxton (1986).

L'*Hiperdiccionari* porta un programari que permet accedir a la informació de totes les obres esmentades des de diferents punts de partida, a més del convencional (com si fos el *DLC* amb la informació addicional dels altres tres); des de l'entrada, però també des de la terminació, el camp temàtic, la categoria gramatical, l'equivalència catalana, castellana o anglesa, el contingut dels exemples, etc.

Consta de 77.147 entrades catalanes, 154.548 definicions, 107.303 equivalències castellanes i 74.993 equivalències angleses.

BIBLIOGRAFIA

ABADAL Y DE VINYALS, Ramon de (1962): «Balari y Jovany y sus *Orígenes históricos de Cataluña*», *BRABLB*, XXIX (1961-1962), pp. 3-15.

Actes del I col·loqui Internacional sobre el català (Strasbourg 1968) = *La linguistique catalane*, Klincksieck, Paris 1973. // *...II...* (Amsterdam 1970), Publicacions de l'Abadia de Montserrat, Montserrat 1976. // *...III Col·loqui Internacional de Llengua i Literatura Catalanes* (Cambridge 1973), Dolphin Book, Oxford 1976. // *...IV...* (Basilea 1976), Publicacions de l'Abadia de Montserrat, Montserrat 1977. // *...V...* (Andorra 1979), Publicacions de l'Abadia de Montserrat, Montserrat 1980. // *...VI...* (Roma 1982), Publicacions de l'Abadia de Montserrat, Montserrat 1983. // *...VII...* (Tarragona-Salou 1985), Publicacions de l'Abadia de Montserrat, Montserrat 1986. // *...VIII...* (Tolosa de Llenguadoc, 1988), Publicacions de l'Abadia de Montserrat, Montserrat 1989. // *...IX...* (Alacant 1991), Publicacions de l'Abadia de Montserrat, Montserrat 1993.

Actes del Primer Col·loqui d'Estudis Catalans a Nord-Amèrica (Urbana 1978). // *... Segon...* (Yale 1979). // *... Tercer...* (Toronto 1982). // *... Quart...* (Whashington 1984). // *...Cinquè...* (Tampa-St. Augustine 1987). // *...Sisè...* (Vancouver 1990). Tots editat a Publicacions de l'Abadia de Montserrat, Montserrat 1979, 1982, 1983, 1985, 1988, 1992 respectivament.

Actes de les Primeres Jornades d'Estudi de la Llengua Normativa (Barcelona 1983), Publicacions de l'Abadia de Montserrat, Barcelona 1984. // *...Terceres...* (Barcelona 1987), Publicacions de l'Abadia de Montserrat, Barcelona 1989 [= «I», «III»].

ALMIRALL CÉSPEDES, Miquel (1993): «Les idees sociolingüístiques d'Antoni de Bofarull», *Miscel·lània Joan Fuster* (Publicacions de l'Abadia de Montserrat, Barcelona), VII, pp. 185-197.

ALPERA, Lluís (1991): «Actituds lingüístiques dels lexicògrafs valencians del segle XIX», *Caplletra*, 11, pp. 51-67.

ALSINA I KEITH, Victòria (1990): «La censura en el Diccionari general de la llengua catalana», *ELLC*, XX, pp. 203-210.

AMADE, Jean (1909): «Deux grammaires catalanes en Roussillon», *La Revue Catalane* (Perpinyà), 3, pp. 358-364.

BADIA I MARGARIT, Antoni M. (1976): *La llengua* (a la sèrie *Vint-i-cinc anys d'estudis sobre la llengua i la literatura catalanes (1950-1975)*), Publicacions de l'Abadia de Montserrat, Montserrat 1976.

— i Francesc de B. MOLL (1960): «La llengua de Ramon Llull», dins Ramon Llull, *Obres essencials*, II, Selecta, Barcelona, pp. 1299-1358.

BALDINGER, Kurt (1990): «Kritische Würdigung des neuen katalanischen etymologischen Wörtebuches von Joan Coromines», *Zeitschrift für Katalanistik*, 3, pp. 130-136.

BEAULIEU, Hélène i altres (1992): «Comparança de tres diccionaris bilingües», dins Solà (1992), pp. 223-238.

BONET, Sebastià (1991): *Els manuals gramaticals i la llengua normativa. Estudis de gramatografia catalana contemporània.* Tesi doctoral, Universitat de Barcelona (en premsa).

— (1993): «Pròleg» a Pompeu Fabra, *Ensayo de gramática de catalán moderno. Contribució a la gramatica de la llengua catalana*, Alta Fulla, Barcelona, pp. [5]-[48].

BOVER I FONT, August (1993): *Manual de catalanística*, Diputació de Tarragona / Publicacions de l'Abadia de Montserrat, Barcelona.

BRUGUERA, Jordi (1977): «Influx de l'occità en la llengua catalana», *Nationalia* (Montserrat), 1, pp. 91-139.

— (1985): *Història del lèxic català*, Enciclopèdia Catalana, Barcelona.

— (1991): *Llibre dels fets del rei en Jaume. Estudi filològic i lingüístic i vocabulari integral*, 2 vols., Barcino, Barcelona.

CABRÉ, M. Teresa (1988): «El Termcat, centre de terminologia del català», *Anthropos* (Barcelona), 81, pp. IV-V.

— i Mercè LORENTE, (1991): *Els diccionaris catalans de 1940 a 1988*, Universitat de Barcelona, Barcelona.

CARBONELL, Jordi (1966): «Notes sobre els *Principis de la lectura menorquina* de 1804», *ER*, 8 (1961 [1966]): pp. 195-214.

— (1971-1972): «Antoni Febrer i Cardona i el Comte d'Aiamans, dues figures de la Il·lustració», *BRABLB*, 34, pp. 87-146.

CARRETÉ PARERA, Ramon (1990): «Els "barbarismes" d'Antoni Careta als diccionaris del segle XIX», *ELLC*, XX, pp. 145-187.

CASANOVA, Emili (1989): «La faceta lexicogràfica del P. Fullana», *Boletín de la Sociedad Castellonense de Cultura*, LXVII.3, pp. 415-441.

— (1990): «Valencià *versus* castellà als segles XVIII i XIX. El cas de Vicent Salvà», *Caplletra*, 9, pp. 147-166.

— (1991*a*): «La lexicografia valenciana del segle XIX com a instrument d'ensenyament i de traducció del castellà. El cas del diccionari Lamarca», dins *Actas del Primer Coloquio Internacional de Traductología* (1989), Universitat de València, València, pp. 73-78.

— (1991*b*): «El *Raro diccionario valenciano-castelano único y singular de vozes monossylabas* de Carles Ros (1770)», *LL*, 4, 1990-1991, pp. 129-182.

— i Cecilio ALONSO (1988): «Les actualitzacions lingüístiques de l'*Espill de ben viure* (1559) realitzades en l'edició de 1827 per Onofre Soler», *Caplletra*, 4, pp. 137-166.

CASAS I HOMS, Josep M. (1970): «Un predecessor de Pompeu Fabra», *ER*, 12 (1963-1968 [1970]), pp. 51-63.

COLOMINA I CASTANYER, Jordi (1989): «Dos vocabularis d'oficis valencians del segle XVII: G. Tarraça (1636) i V. Exulve (1643)», *Caplletra*, 6, pp. 179-208.

— (1991*a*): «L'aportació d'Enric Valor a la formació de la llengua literària moderna», *Serra d'Or*, maig, pp. 33-35.

— (1991*b*): «Joaquim Martí Gadea com a lexicògraf i com a dialectòleg», *Caplletra*, 11, pp. 147-166.

COLÓN DOMÈNECH, Germà (1958): «Observacions al diccionari de la rima», *Boletín de la Sociedad Castellonense de Cultura*, XXXIV, pp. 290-305.

— (1962): «El diccionario crítico etimológico de la lengua castellana», *Zeitschrift für Romanische Philologie*, 78, pp. 59-96.

— (1976): *El léxico catalán en la Romania*, Gredos, Madrid. (Traducció de la primera part: *El lèxic català dins la Romània*, Universitat de València, València 1993.)

— (1978): *La llengua catalana en els seus textos*, 2 vols., Curial, Barcelona.

— (1981): «Elogio y glosa del diccionario etimológico hispánico», *RLiR*, 45 (1981), pp. 131-145.

— (1983): «Els vocabularis barcelonins d'Ausiàs March al segle XVI», *ELLC*, VI, pp. 261-290.

Colón Domènech, Germà (1988): Pròleg a Joan Esteve, *Liber elegantiarum*, Inculca, Castelló de la Plana, pp. 9-34.
— i Amadeu-J. Soberanas (1986): *Panorama de la lexicografia catalana. De les glosses medievals a Pompeu Fabra*, Enciclopèdia Catalana, Barcelona (= C-S).
— i Amadeu-J. Soberanas (1987): «Estudio preliminar» a l'ed. facsímil del *Diccionario latín-catalán y catalán-latín* d'E. A. de Nebrija, adaptat per Gabriel Busa, Puvill, Barcelona.
Conca, Maria (1987): *Paremiologia*, Universitat de València, València.
— (1988): *Els refranys catalans*, L'Estel, València.
Corbera Pou, Jaume (1984): «La lexicografia mallorquina del segle xix», *Actes del col·loqui Internacional sobre la Renaixença (18-22 de desembre de 1984)*, vol. II (Curial, Barcelona 1994), pp. 211-228.
— (1993): «Joan Josep Amengual i la llengua de Mallorca», dins *Miscel·lània homenatge al Doctor Joan Josep Amengual i Reus*, Ajuntament, Mancor de la Vall, pp. 37-44.
Corriente, Federico (1984): «Nuevas apostillas de lexicografía hispanoárabe (al margen del Diccionari etimològic i complementari de la llengua catalana de Joan Coromines)», *Sharq al-Andalus* (Universitat d'Alacant), 1, pp. 7-14.
— (1985) «Apostillas de lexicografía hispano-árabe», dins *Actas de las II Jornadas de Cultura Árabe e Islámica* (1980), Instituto Hispano-Árabe de Cultura, Madrid, pp. 119-162.
Creixell, Lluís (1987): «Una gramàtica catalana manuscrita: la *Grammaire cathalane* de Josep Tastú», dins *Études Roussillonnaises offerts à Pierre Ponsich*, Le Publicateur, Perpignan, pp. 529-544.
Farreres, Lambert (1991): «La "declaració dels mots" de la traducció catalana anònima de Titus Livi», *Anuari de Filologia* (Universitat de Barcelona), XIV. D.2, pp. 25-41.
Ferrando, Antoni (ed.) (1990): *La llengua als mitjans de comunicació. Actes de les Jornades sobre la Llengua Oral als Mitjans de Comunicació Valencians*, Universitat de València, València.
— (curador) (1992): *Miscel·lània Sanchis Guarner*, 3 vols., Publicacions de l'Abadia de Montserrat, Barcelona.
— (1993): «Estudi preliminar», «Apèndix documental» i «Esmenes i addicions», dins Manuel Sanchis Guarner, *Gramàtica valenciana*, Alta Fulla, Barcelona, pp. V-XXXV, XXXVII-LXII, [333]-[345].
García Macho, M. Lourdes (1984-1985): «Anotaciones al Diccionario Crítico Etimológico Castellano e Hispánico de Joan Corominas (con

la colaboración de José A. Pascual)», *Anuario de Estudios Filológicos* (Cáceres), 7 (1984), pp. 129-153; 8 (1985); pp.75-112.

GARÍ, Joan (1992): «La ideologia lingüística de Sanchis Guarner», *Miscel·lània Joan Fuster* (Publicacions de l'Abadia de Montserrat, Barcelona), V, pp. 351-379.

GINEBRA I SERRABOU, Jordi (1987): «Pròleg» a Antoni de Bofarull, *Escrits lingüístics*, Alta Fulla, Barcelona.

— (1988): *Antoni de Bofarull i la Renaixença*, Associació d'Estudis Reusencs, Reus.

— (1990): «Una enquesta lingüística a mitjan segle XIX», *ELLC*, XXI, pp. 93-115.

— (1992): «Llengua, gramàtica i ensenyament en el tombant del segle XVIII al XIX», *Randa*, 31, pp. 65-79.

— (1994): *El grup modernista de Reus i la llengua catalana,* Associació d'Estudis Reusencs, Reus.

GULSOY, Joseph (1964*a*): *El diccionario valenciano-castellano de Manuel-Joaquín Sanelo. Edición, estudio de fuentes y lexicografía*, Sociedad Castellonense de Cultura, Castellón de la Plana.

— (1964*b*): «La lexicografia valenciana», *Revista Valenciana de Filologia*, 6 (1959-1962 [1964]), pp. 109-141.

— (1979): «L'obra filològica de Julià Bernat Alart», *Estudis Universitaris Catalans*, XXIII, pp. 243-253.

— (1982): «Catalan», dins *Trends in Romance Linguistics and Philology*, vol. 3, Rebecca Posner / John N. Green (ed.), *Language and Philology in Romance*, Mouton, The Hague, pp. 189-296.

— (1987): «El *Diccionari etimològic i complementari de la llengua catalana*: els objectius», *Caplletra*, 2, pp. 35-47.

— (1992): «El diccionari etimològic català de Joan Coromines: uns aclariments», *Actes* Vancouver, pp. 37-60.

HAENSCH, Günter (1988): «Cop d'ull sobre uns quants diccionaris castellà-català», *ELLC*, XVI, pp. 113-144.

— *et al.* (1982): *La lexicografía. De la lingüística teórica a la lexicografía práctica*, Gredos, Madrid.

HAUF, Albert G. (1983): «El lèxic d'Ausiàs March: primer assaig de valoració i llista provisional de mots i de freqüències», *ELLC*, VI, pp. 121-224.

IEC (Institut d'Estudis Catalans) (1993): *Acord de la Secció Filològica de l'Institut d'Estudis Catalans sobre diversos punts de la normati-*

va verbal i de l'estàndard oral dels demostratius, Institut d'Estudis Catalans, Secció Filològica, 11-VI-1993, 3 pàgines.

JORBA, Manuel (1989): *L'obra crítica i erudita de Manuel Milà i Fontanals*, Curial / Publicacions de l'Abadia de Montserrat, Barcelona.

LACREU, Josep (1985): «Diccionari manual Pompeu Fabra», *L'Espill*, 20, pp. 183a-185c.

— (1988): «Un nou diccionari 'valencià'», *El temps*, 11-IV-1988, pp. 88-89.

LAMUELA, Xavier (1983): «Els nous diccionaris», *Avui,* 18-V-1983.

— i Josep MURGADES (1984): *Teoria de la llengua literària segons Fabra*, Quaderns Crema, Barcelona.

LLEDÓ, Eulàlia (1992): *El sexisme i l'androcentrisme en la llengua: anàlisi i propostes de canvi*, Universitat Autònoma de Barcelona, Barcelona.

LLINARÈS, Armande (1900): «Remarques sur quelques mots du vocabulaire lullien», dins *Studia lullistica et philologica miscellanea in honorem Francisci B. Moll et Michaelis Colom*, Moll, Civitate Majoricarum [Mallorca], pp. 45-52.

MALKIEL, Yakov (1968): «Hispanic Philology», dins Thomas Sebeok (ed.), *Current trends in linguistics*, 4, Mouton, The Hague, pp. 158-228.

MARCET, Pere, i Joan SOLÀ: *Història de la lingüística catalana 1775-1900: Repertori crític* (en premsa).

MARÍ, Isidor (1991): «El Diccionari enciclopèdic de medicina», *Serra d'Or*, febrer 1991, pp. 61-62.

— (1992): «Termcat: La terminologia catalana entre dos simposis», *Serra d'Or*, febrer 1992, pp. 19-21.

MARTINES, Josep (1990): «El *Diccionario valenciano* de Josep Pla i Costa [...]», *Almaig* (Ontinyent), VI, pp. 110-113.

— (1991): «El *Diccionario valenciano* de Josep Pla i Costa: entre la descurança i el purisme», *Caplletra*, 11, pp. 123-145.

— (1993): «La interferència lingüística en la lexicografia valenciana del segle XIX. El *Diccionario valenciano* (inèdit) de Josep Pla i Costa», *Actes* Alacant, II, pp. 437-456.

MARTÍNEZ GÁZQUEZ, J. (1989): «La cultura de los monjes de Ripoll: los comentarios lingüísticos de las glosas», *Estudios Románicos* (Murcia), 5 (1987-88-89), pp. 889-905.

MASCARÓ, Joan (1984): «Gabriel Ferrater i la tradició lingüística catalana», *Els Marges,* 31, pp. 21-28.

MASCARÓ, Joan (1987): «Novetats lexicogràfiques», *Els Marges*, 35, pp. 94-96.

MASSOT I MUNTANER, Josep (1970): «Un vocabulari mallorquí-castellà del segle XVIII», *ER*, 13 (1963-1968 [1970]), pp. 147-163.

— (1985): *Els mallorquins i la llengua autòctona*, 2a ed., Curial, Barcelona.

MESSNER, Dieter (1992): «L'étymologie portugaise selon John Minsheu (1617)», *Linguistica* (Ljubljana), XXXII, pp. 213-219.

— (1993): «Ein *Dicionário dos dicionários portugueses*», dins Dieter Messner und Axel Schönberger (eds.), *Studien zur portugiesischen Lexicologie*, Band 3 (TFM / Domus Editora Europaea, Frankfurt am Main), pp. 61-165.

MOLL, Francesc de B. (1982): *Textos i estudis medievals*, Publicacions de l'Abadia de Montserrat, Montserrat.

PALAU y DULCET, Antonio: *Manual del librero hispano-americano*, 28 vols., Barcelona [2]1948-1977.

PENSADO, José L. (1980-82): «Sobre el *Diccionario Crítico Etimológico Castellano e Hispánico*», *Verba* (Santiago de Compostela), 7 (1980), pp. 301-342; 9 (1982), pp. 291-318.

PÉREZ SALDANYA, Manuel (curador) (1993): *Dotze anys d'investigació: tesis i tesines sobre llengua i literatura catalanes (1981-1992)*, Universitat de València, València.

PICAZO I JOVER, Antoni (1991): «El diccionari valencià-castellà inèdit de Tomàs Font i Piris», *Caplletra*, 11, pp. 91-121.

PICCAT, Marco (1988): «El vocabulari català del ms. 1276 de la Biblioteca de Catalunya», *Miscel·lània Joan Gili* (Publicacions de l'Abadia de Montserrat, Barcelona), pp. 431-464.

POLANCO ROIG, Lluís B. (1994): «Els *Rudimenta grammatices* de Nicolò Perotti, inspiradors del *Liber elegantiarum* de Joan Esteve», *Caplletra*, 13 (1992 [juny 1994]), pp. 135-173.

PONS I PONS, Antoni-Joan (1992): «Antoni Febrer i Cardona i la llengua: aspectes generals», *Randa*, 31, pp. 51-64.

PRATS, Modest (1983): «Un vocabulari català a la versió del *Regimine principum* de Gil de Roma», *Actes* Roma, pp. 29-87.

— (1988): «Un altre vocabulari d'adverbis llatí-català», *ELLC*, XVI, pp. 41-56.

Primer Congrés Internacional de la Llengua Catalana, Joaquim Horta, Barcelona 1908. (Facsímil, Vicens-Vives, Barcelona 1985.)

QUETGLAS, Pere (1990): «Estudi preliminar», dins Josep Balari i Jovany, *Escrits filològics*, Alta Fulla, Barcelona, pp. 5-58.

RAFEL I FONTANALS, Joaquim (1988): «Sobre la normalització dels diccionaris catalans: el tractament de les sèries sinonímiques», *ELLC*, XVI, pp. 57-112.

— (1989): «Sobre la normalització dels diccionaris catalans: els elements intrínsecs i extrínsecs en les definicions lexicogràfiques», dins, Holtus / Lüdi / Metzeltin (ed.), *La Corona de Aragón y las lenguas románicas*, Gunter Narr, Tübingen, pp. 441-452.

RAMOS, Joan Rafael (1989): *La qüestió lingüística en la premsa de Castelló de la Plana (1834-1938)*, Diputació de Castelló, Castelló de la Plana.

— (1992): «Reflexions al voltant de la proposta lingüística de Josep Nebot i Pérez», *Caplletra*, 12, pp. 11-32.

RASICO, Philip D. (1991): «An early Catalan grammar in English: W. I. Crowley's *A Modern Catalan Grammar*», *Catalan Review*, V, 2, pp. 107-120.

RIBA i Viñas, Cèlia (1992): «El gènere en càrrecs, professions i oficis», dins Solà (1992), pp. 11-37.

RICO, Albert (1989) «Els diccionaris usuals i la llengua normativa. El cas dels mots dialectals», *Actes* Normativa, III, pp. 75-112.

RIERA, Carles, i Joan VALLÈS (ed.) (1991): *P. Fabra, P. Font i Quer i M. de Garganta. Un epistolari fonamental per a la lexicografia científica catalana (1928-1953)*, Institut d'Estudis Catalans, Barcelona.

SALVADOR, Vicent (1986): «Una polèmica sobre la llengua literària», *Caplletra*, 1, pp. 61- 73.

SANCHIS GUARNER, M[anuel] (1963): «L'evolució de la llengua literària dels escriptors valencians de la Renaixença», *Critèrion* (Barcelona), 17, pp. 59-82.

SCHÄDEL, Bernhard (1905): «Katalanische Sprache. 1890-1903», *Kritischer Jahresbericht über die Fortschritte der Romanischen Philologie*, 6, 1 (1899-1901 [1905]), pp. 362-379.

SEGARRA, Mila (1985*a*): *Història de l'ortografia catalana*, Empúries, Barcelona.

— (1985*b*): *Història de la normativa catalana*, Enciclopèdia Catalana, Barcelona.

— (1987): «Pròleg» a Josep Pau Ballot, *Gramatica y apología de la llengua cathalana*, Alta Fulla, Barcelona.

SIMBOR ROIG, Vicent (1983): *Carles Salvador. Una obra decisiva*, Diputació Provincial de València, València.
— (1992): «La proposta gramatical del P. Fullana i Mira (1871-1948)», *Caplletra*, 12, pp. 33-58.
SOBERANAS, Amadeu-J. (1977): *Les edicions catalanes del diccionari de Nebrija*, dins *Actes* (Basilea 1976), pp. 141-203.
— i Germà COLÓN DOMÈNECH (1992): «Lexicografia valenciana i forastera: el *Thesaurus puerilis* d'Onofre Pou (1575)», dins Ferrando (1992), III, pp. 299-312.
SOL, Lluís M. (1992): «El *caràcter aspectual* i la definició lexicogràfica», *Anuari de Filologia* (Universitat de Barcelona), XV.C.3, pp. 47-73.
SOLÀ, Joan (1977): *Del català incorrecte al català correcte. Història dels criteris de correcció lingüística*, Edicions 62, Barcelona.
— (1982): «L'ensenyament del castellà a Catalunya al segle XIX», dins Jordi Monés i Pere Solà (eds.), *Actes de les 5enes Jornades d'Història de l'Educació als Països Catalans* (Vic 1982), vol. 1 (Vic 1984), pp. 175-192.
— (1987): *L'obra de Pompeu Fabra*, Teide, Barcelona.
— (1991): *Episodis d'història de la llengua catalana*. Empúries, Barcelona.
— (ed.) (1992): *Sobre lexicografia catalana actual*, Empúries, Barcelona.
SOLER I BOU, Joan (1992): «Circularitat lexicogràfica i primitius semàntics», *Anuari de Filologia* (Universitat de Barcelona), XV.C.3, pp. 75-93.
STEGMANN, Tilbert Dídac (1991): «Vorwort/Prefaci» al *Vocabulari Català-Alemany de l'any 1502 / Katalanisch-Deutsches Vokabular aus dem Jahre 1502*, Domus Editoria Europaea, Frankfurt am Main, pp. 7-23 / 25-44.
STRAKA, Georges (1985): «Consultant el Diccionari etimològic i complementari de la llengua catalana», *ELLC*, X, pp. 5-19.
VENY, Joan (1980): «Transfusió i adaptació d'ictiònims en el *Dictionarium* de Pere Torra (segle XVII)», *ELLC*, I, pp. 69-102.
— (1983): «Influència del diccionari català-llatí de Font sobre el de Torra (s. XVII)», *ELLC*, VI, pp. 11-24.
— (1991): «La repercussió de l'obra de Lonrenzo Palmireno en la filologia catalana», *Caplletra*, 11, pp. 69-90.
— (1992): «Lexicografia i dialectalismes: a propòsit del diccionari

català-llatí d'Antoni Font (s. XVII)», dins Ferrando (curador, 1992), II, pp. 351-379.
VERDAGUER, Pere (1993): *Entre llengua i literatura*, Curial, Barcelona.
VIANA, Amadeu (ed.) (1993): *Sintaxi. Teoria i perspectives*, Pagès, Lleida.
VIDAL ALCOVER, Jaume (1977): «Rondalles de rondalles (Dues narracions parèmiques de Guillem Roca i Seguí)», *Randa*, 6, pp. 81-117.
VIDAL I ROCA, Josep M. (1990): «Significació i llenguatge» [en Ramon Llull], *Catalan Review*, IV, 1-2, pp. 323-344.

ÍNDEX DE NOMS

ALTRES TÍTOLS DE LA COL·LECCIÓ

1 **Substantiu i adjectiu**
Julio Calvo Pérez

2 **Els modificadors intraoracionals i interoracionals**
Ricard Morant Marco
Enric Serra Alegre

3 **Paremiologia. (2a edició)**
Maria Conca Martínez

4 **Sintaxi i semàntica de l'article. (2a edició)**
Antonio Briz Gómez
Manuel Prunyonosa Tomàs

5 **Català col·loquial. Aspectes de l'ús corrent de la llengua catalana. (2a edició)**
Lluís Payrató Giménez

6 **L'oració composta (I): la coordinació.**
M. Josep Cuenca Ordinyana

7 **Sociolingüística**
Francesc Gimeno Menéndez
Brauli Montoya Abad

8 **L'oració simple**
Carlos Hernández Sacristán

9 **Gramàtica històrica. Problemes i mètodes**
Joan Martí Castell

10 **L'oració composta (II): la subordinació**
M. Josep Cuenca Ordinyana

11 **Llengües en contacte en la comunitat lingüística catalana**
Miquel Pueyo

12 **El lèxic català dins la Romània**
Germà Colón

13 **A l'entorn de la paraula (I): lexicologia general**
M. Teresa Cabré

14 **A l'entorn de la paraula (II): lexicologia catalana**
M. Teresa Cabré

15 **Els predicatius i les categories sintàctiques**
Abelard Saragossà